Desarrollando un Liderazgo Sobrenatural

12 Principios Claves para el G12

Cesar Castellanos D.

CESAR CASTELLANOS D © 2003
Publicado por G12 Editores
sales@g12bookstore.com

ISBN 1-932285-06-7

Impreso en Colombia
Printed in Colombia

CONTENIDO

INTRODUCCIÓN

Capítulo 1
ENTRÉNELOS EN LA FE
El lenguaje de la fe. La fe está muy cerca de ti. Edificando vidas. Tener la capacidad de creer. Visualizar el éxito. Confesión del milagro. Actuar osadamente en fe. Como la fe de un niño.

Capítulo 2
TENGA LÍDERES VISIONARIOS
Recobrando la visión. Sin visión hay equivocaciones. Sin visión no se puede diferenciar. Sin visión se está fuera del propósito. Clamando por misericordia.pasos para recobrar la visión. Actúe en fe. Anhele la visión. Lo que veamos en lo espiritual se reproducirá en lo natural. Mi ministerio cambió cuando pude ver.

Capítulo 3
AYÚDELOS A CONQUISTAR SUS SUEÑOS
Ayudando a los discípulos. Enfrentando obstáculos. Un sueño hecho realidad. Dios nos fortalece para que alcancemos nuestros sueños. Enseñando a la iglesia a orar. El poder de la intercesión. Una mujer de fe. Anhelemos tener los sueños de Dios. Los sueños son el lenguaje de Dios.

Capítulo 4
ENSÉÑELES SOBRE EL PODER
QUE HAY EN LA PALABRA
La palabra de poder. El Verbo les fue revelado. Él quiere relacionarse con nosotros. El poder de la palabra hablada por Jesús. Di la palabra y el milagro ocurrirá. Tenga argumentos a favor. Atrévase a hablar con fe. El milagro debe nacer primero en nosotros. El poder de la palabra profética. Debemos preparar el ambiente para la conquista. Reclame sus derechos legales. Dios nos quiere enseñar a hablar proféticamente

Capítulo 5
ENTRÉNELOS EN LA GUERRA ESPIRITUAL
¿Quién es nuestro enemigo? ¿Cómo actúa? Su propósito. ¿Quién lo enfrentaría? La Cruz puerta de reconciliación. ¿Qué significa la Cruz? La Cruz anula el acta de decretos. Quebrantando la opresión. Vida de integridad. Ayudando a la gente a ser libre. Pasos para ministrar liberación

Capítulo 6
AYÚDELOS A QUE TRABAJEN EN
SOCIEDAD CON EL ESPÍRITU SANTO

Siendo guiados por el Espíritu de Dios. Debemos concentrarnos en el desarrollo de la visión. Teniendo una relación estrecha con el Espíritu Santo. Conociendo al Espíritu Santo. Aprendiendo a depender de el Espíritu Santo. Tener cuidado de no salirnos de la visión. Enfocándonos nuevamente en las células. Cómo hacer equipo con el Espíritu Santo. Él es una Persona. Hacerlo su Socio. Que Él sea el director técnico del Equipo ministerial. Renueve su Mente. Entrega total. Comunión. Reconocimiento.

Capítulo 7
MOTÍVELOS A QUE SEAN PERSONAS DE ORACIÓN

Oración como estilo de vida. Relacionándonos con Dios como nuestro Padre. El Altar del Sacrificio. El poder de la Cruz. Bendición de salvación, sanidad prosperidad y multiplicación. El Lavacro de bronce. Los cinco pórticos. La mesa de los panes de la proposición. El candelabro con sus siete brazos. El altar del incienso. El lugar Santísimo. El arca de la Alianza. Quebrantamiento de Uza. La bendición vino sobre Obed-edom. Un nuevo pacto.

Capítulo 8
FORMANDO LÍDERES SEGUROS DE SÍ MISMOS

Tenga una imagen correcta de sí mismo. Marcado por las circunstancias. Conociendo la misericordia . La misericordia de Dios transforma. Heredando el espíritu del temor. El espíritu de inferioridad y el temor. Recibiendo la gracia. Te devolveré las tierras. El reposo económico. Te sentarás a la mesa del rey. ¿Qué piensa de usted mismo? ¿Qué hacer cuando no hay esperanza de vida?

Capítulo 9
ENSÉÑELES QUE HAN HEREDADO BENDICIÓN

Somos herederos de bendición .Un reloj en las manos de Dios. Dios de Abraham. Herederos de las promesas. Decida caminar por la senda de la fe. La fe nos rejuvenece. Visión de la ciudad celestial. Dejó herencia. Vio a su descendencia. Dependen totalmente de Dios. Dios de Isaac. El Dios de Jacob. El nombre determina el destino. Jacob el hombre que sí valoró la primogenitura. Valoró la bendición. La bendición está mucho más cerca que la maldición. Somos transformados en su presencia. Jacob y el gobierno de los doce.

Capítulo 10
FORME LÍDERES DINÁMICOS

Quebrantamiento. El trato de Dios con el líder. Cuidar la pureza de la visión. Procure no tomar atajos. Aplique la visión. El fruto da honra. Siendo fieles en lo poco. El privilegio del llamado. Desarrollo progresivo y crecimiento permanente. Tenga una actitud correcta. Ramas fructíferas en las manos de Dios. Redimiendo el tiempo. Edificando una muralla celular. Agradando a Dios. Teniendo una imagen clara.

Capítulo 11
QUE ENTIENDAN LA IMPORTANCIA
DE CONFORMAR EL G12

Es un fundamento establecido por Dios. Completando la pieza que hacia falta. Que la visión quede grabada en nuestros corazones. La autoridad nos fue entregada. Involucrando a toda la iglesia en ganar. Enseñándoles a consolidar. Ayudándoles en su crecimiento. Preparándolos para el encuentro. La importancia del pos-encuentro. Comprometiéndolos con la escuela de líderes. La bendición del sustituto.

Capítulo 12
ENSÉÑELES A ALCANZAR EL ÉXITO

Sentido común. Ayudar a mis discípulos a conformar sus doce. Concéntrese en un sólo objetivo. Vida equilibrada. Grupos homogéneos. Trabaje con metas. Diligencia en la consolidación. Intercesión. Premie el fruto. La cosecha lo espera.

INTRODUCCIÓN

Creo que el mayor desafío que la iglesia tiene que afrontar en estos últimos años, es el poder culminar el sueño empezado por Jesús de poder hacer discípulos a todas las Naciones. Esto podrá ser una realidad, si logramos hacer de cada creyente un líder, lo cual implica desarrollar un trabajo de cuidado con el nuevo. Pero que sólo se podrá lograr si tenemos líderes bien estructurados espiritualmente, que puedan moverse en el mundo de la fe.

La labor de hacer discípulos, es una bendición que Dios nos ha confiado, pero como líderes, debemos darles las herramientas espirituales para que ellos puedan avanzar.

En la primera parte de este libro, presento la importancia de llevar a nuestros discípulos a un liderazgo no tanto técnico, sino sobrenatural, pues esta es la única manera de poder hablar el lenguaje de Dios. Las riquezas divinas sólo podrán ser extraídas por aquellos que han logrado desarrollar su naturaleza espiritual. Dios tiene todo un mundo de bendiciones para ponerlas en nuestras manos, Él está esperando quienes serán aquellos que se paren en la brecha y decidan echar mano de ellas, haciéndolas suyas para luego poder reproducirlas en otros. El lenguaje de la fe, va acompañado de visiones, sueños y también de la palabra hablada. Todo esto se consolidará de acuerdo a la relación que tengamos con el Espíritu de Dios.

En la segunda parte, presento la importancia de que los líderes enseñen y ayuden a sus discípulos a que tengan una vida de oración equilibrada, que tengan un corazón sano, que puedan rescatar la confianza en sí mismos si ésta ha sido afectada. Que conozcan la manera cómo ellos pueden romper la maldición, para conquistar la bendición; esto les ayudará a entender la visión y así poder entrar en la multiplicación. Aquellos que Jesús llamó para que le siguieran, Él mismo prometió equiparlos. Así como un constructor no puede edificar si carece de recursos, aunque tenga la mejor buena voluntad, aquellos que han sido llamados para desarrollar la obra de Dios deben contar con las herramientas básicas para poder lograrlo.

Cuando el Señor levantó a Josué en reemplazo de Moisés, una de las palabras de motivación que le dio fue: "Nadie te podrá hacer frente en todos los días de tu vida; como estuve con Moisés, estaré contigo; no te dejaré, ni te desampararé", (Josué 1:5). Sé que estas mismas palabras cobran vida cuando decidimos asumir nuestra responsabilidad ministerial. Josué sin el respaldo de Dios carecería de poder; la iglesia sin la guía del Espíritu de Dios, sería una iglesia carente de poder. Teniendo su guía y entendiendo y hablando el lenguaje de la fe, nuestro desarrollo ministerial será mucho más eficaz. Si estudiamos cuidadosamente la vida del Señor Jesús, observaremos que Él le dio gran importancia al trabajo en equipo. Piense en una selección de fútbol, ningún jugador, por brillante que sea, podrá dar a conocer sus habilidades sin la ayuda de un equipo.

Así como Jesús entrenó a sus doce, debemos también entregarnos a la tarea de formar nuestra gente, hasta que adquiera esa madurez espiritual que los convertirá en grandes multiplicadores. ¿Cómo hubiera sido la historia del cristianismo sin la influencia de los apóstoles? Y por otro lado, piense en el gran impacto que se puede llegar a realizar en las naciones de la tierra, si logramos reproducirnos estratégicamente en otros, y que éstos a su vez lleven a cabo la misma tarea con sus discípulos.

Mi oración es que el Señor le bendiga abundantemente y le guíe en la aplicación de estos 12 principios en su vida y en su ministerio.

Capítulo 1

ENTRÉNELOS EN LA FE

"Así que la fe es por el oír, y el oír, por la palabra de Dios".
Romanos 10:17

EL LENGUAJE DE LA FE

Todo aquel que desee tener éxito en la vida debe permanecer siempre en un nivel alto de fe. A través de ella, la relación con Dios se fortalece y podremos conquistar todos nuestros sueños.

La fe está por encima de los sentidos, nace en el corazón. Por lo general, el ser humano tiende a andar por vista y no por fe. Tratamos de aferrarnos a lo que vemos, olvidando que detrás de este sistema se mueve todo un reino espiritual que no vemos, pero que existe porque es real y eterno. La fe nos relaciona con el mundo invisible y eterno. Allí se encuentra el gobierno de Dios con su corte celestial. Esa misma fe es la que nos saca del contexto humano y nos transporta hasta los umbrales de la gloria divina. Es la que nos hace dejar nuestras debilidades y flaquezas al pie de la Cruz para vestirnos de la fortaleza invencible del espíritu de Dios.

Sencillamente, la fe es salir de un mundo de fracaso y derrota para transitar por la calle sólida del éxito y la prosperidad. Es transformar lo absurdo en algo lógico; lo vil y menospreciado, en útil y valioso.

Si tan sólo nos atreviéramos a creer, podríamos abrir los cielos y hacer que la gloria de Dios descienda sobre nosotros y sobre todo aquello que representamos.

LA FE ESTÁ MUY CERCA DE TI

"Mas ¿qué dice? Cerca de ti está la palabra, en tu boca y en tu corazón. Esta es la palabra de fe que predicamos..." (Romanos 10:8)

Muchos piensan que tienen fe, pero los resultados que observamos en sus vidas son completamente diferentes; para algunos la fe solamente ha llegado a sus mentes, pero aún no ha bajado a sus corazones. Debemos entender que la fe no es intelectual sino espiritual, y se debe recibir en el espíritu. Cuando abrimos nuestros corazones con la misma pureza de un niño, entonces la Palabra de Dios -que es Espíritu y es vida- podrá penetrar en lo más íntimo de nuestros corazones. No debemos pretender conquistar con nuestra mente algo que le pertenece al espíritu, porque el hombre carnal no percibe las cosas del Espíritu de Dios, porque para él son locura, y no las puede entender, porque se han de discernir espiritualmente (1 Corintios 2:14). El repetir una promesa de la Biblia vez tras vez no significa que tenga fe y que pueda conquistar el milagro. La Palabra de Dios debe renovar su manera de pensar. El comprender la Palabra es el inicio para poder conquistar toda una vida de fe; y de la mente debe bajar a las emociones, y luego debemos comprometer nuestra voluntad. Cuando nuestra voluntad está comprometida un cien por ciento es cuando estamos listos para el desarrollo de una vida de fe, porque sólo podemos confesar todo aquello que hemos podido atesorar en nuestro corazón. Sabemos que "sin fe es imposible agradar a Dios" (Hebreos 11:6).

LA FE VIENE POR LA PALABRA

La fe nos lleva a creer cosas que no se pueden probar científicamente, pero de las que sencillamente estamos convencidos. La Biblia es la única fuente que puede producir fe en el corazón del hombre. ¿Cree usted que la Biblia es la Palabra viva de Dios? Si su respuesta es positiva, este es un buen comienzo para alguien que quiere entrar a caminar por la senda de la fe. Pero la fe sólo vendrá cuando usted tenga un contacto directo y permanente con la Palabra. Del perseverante estudio de la misma es que viene la voz de Dios. Y cuando la Palabra de Dios llega a nuestros corazones, es que nace la fe.

Aunque ninguno de nosotros conoció a los escritores sagrados, instrumentos utilizados por Dios para que hoy tengamos la Biblia, no obstante, creímos lo que ellos escribieron, así como en el testimonio de sus vidas y lo que hablaron acerca de Jesús. Eso se llama fe.

La fe posee algunos elementos que implican transformar las circunstancias. Pablo dijo: "Con el corazón se cree para justicia, pero con la boca se confiesa para salvación" (Romanos 10:10).

Una vez más, el apóstol nos hace ver que lo que confesamos con nuestros labios ha sido el resultado de todo aquello que hemos creído en nuestros corazones.

La vida del Señor Jesús era de mucha intimidad con el Padre. Como resultado de permanecer en su presencia, tenía la voz de autoridad, a tal grado que nadie podía resistir ni las palabras ni el espíritu con que Él hablaba; y no había nada en el universo que pudiera oponerse a la autoridad de su palabra.

EDIFICANDO VIDAS

No existe otra forma de hacer que la verdad perdure, a menos que logremos que el evangelio quede escrito en el corazón de los creyentes. El Espíritu Santo es de inspiración a la vida de maestros sabios e idóneos, de quienes toma sus labios y los usa cual pluma de un hábil escritor para grabar en cada corazón el evangelio de la verdad eterna.

Pablo dijo que todo lo que sucedió en la antigüedad fue el medio que Dios usó para otorgar enseñanza para nuestros días. Cada una de las experiencias, pasajes y sucesos que ocurrieron en el pasado, Él los utiliza para enseñarnos su propósito, pues el deseo de su corazón siempre ha sido que, a través de nuestra vida, podamos levantar una generación para Él.

Como lo expresó el Señor por medio del profeta Ezequiel: "Y busqué entre ellos hombre que hiciere vallado... y no lo hallé" , (Ezequiel 22:30). Dios está buscando una persona en la cual Él pueda confiar el deseo de su corazón para poderlo llenar de su Espíritu y, de este modo, anhele hacer su obra.

Lamentablemente muchos líderes, por ignorar el poder de la fe, llenan la mente de sus discípulos de mucha información, lo cual produce un desequilibrio en la vida espiritual de cualquier persona. Razón por la cual, sugiero que cada persona ocupada en la labor de formar líderes, trabaje específicamente en enseñarles los principios fundamentales de la fe.

PASOS BÁSICOS PARA OBTENER FE

Toda la Biblia fue escrita para impartir fe a nuestros corazones. Debemos mantenernos en un nivel alto de fe. Hay un pasaje en Marcos 5:25-34 que condensa los pasos más trascendentales en el área de la fe: "Pero una mujer que desde hacía doce años padecía de flujo de sangre, y había sufrido mucho de muchos médicos, y gastado todo lo que tenía, y nada había aprovechado, antes le iba peor, cuando oyó hablar de Jesús, vino por detrás entre la multitud, y tocó su manto. Porque decía: Si tocare tan solamente su manto, seré salva. Y enseguida la fuente de su sangre se secó; y sintió en el cuerpo que estaba sana de aquel azote. Luego Jesús, conociendo en sí mismo el poder que había salido de él, volviéndose a la multitud, dijo: ¿Quién ha tocado mis vestidos? Sus discípulos le dijeron: Ves que la multitud te aprieta y dices: ¿Quién me ha tocado? Pero él miraba alrededor para ver quién había hecho esto. Entonces la mujer, temiendo y temblando, sabiendo lo que en ella había sido hecho, vino y se postró delante de él, y le dijo toda la verdad. Y él dijo: Hija, tu fe te ha hecho salva; ve en paz, y queda sana de tu azote".

Podemos ver cómo Dios interviene de una manera sobrenatural y derrama su misericordia en la vida de una mujer, para que ésta sea transformada por el poder del Espíritu de Dios y obtenga las bendiciones que Él tenía para ella. Pero la experiencia de esta mujer es una alegoría de los pasos que se requieren para obtener un milagro.

TENER LA CAPACIDAD DE CREER

Lo primero que vemos en esta mujer es que tuvo la capacidad de creer. Había estado viviendo en agonía permanente durante doce años. La situación en que ella se encontraba era lamentable, su cuerpo se había debilitado ya en gran manera. Pero, en medio de su crisis, ella oyó hablar de Jesús. Nunca antes había escuchado acerca de Jesucristo, pero al ver pero al escuchar el bullicio y ver las multitudes se interesó y comenzó a preguntar: ¿Quién es Él? A lo cual le respondieron: "Es el Mesías, el Salvador del mundo, el Profeta de Israel que habría de venir, el que hemos esperado por tanto tiempo. Él es el que limpia a los leprosos, resucita a los muertos, libera a los endemoniados. Él es el Hijo de Dios".

FE VIENE POR EL OÍR

El escuchar acerca de Jesús produjo en ella una reacción positiva. Fue allí donde nació su fe, y donde abrió la puerta de su corazón para poder recibir cada uno de los beneficios que podemos extraer de Dios. San Pablo dijo: "Así que la fe es por el oír, y el oír, por la palabra de Dios" (Romanos 10:17). Cuando aquella mujer oyó hablar de Jesús, un rayo de esperanza comenzó a brillar en su vida, y el cuadro que tenía en su mente comenzó a ser transformado. Ella pudo entender que había una posibilidad, una salida a su situación. Tuvo la fuerza suficiente para soportar las actitudes negativas, la adversidad, los conflictos emocionales que estaba viviendo. Su problema era lamentable, porque el flujo de sangre que ella padecía la había debilitado, la había dejado sin esperanza de vida. Tampoco obtuvo ninguna respuesta a través de los medios humanos. Hasta estaba a punto de aceptar su derrota y esperar su muerte, cuando oyó hablar de Jesús. Eso es lo que nosotros necesitamos hacer, permitir que la Palabra de Dios penetre en nuestros corazones. La Biblia es la Palabra de Dios, pero ésta cobra poder cuando llega con claridad a nuestras mentes; se convierte en una llave que abre la puerta de la esperanza para que nosotros recobremos la vida.

Por varios años fui pastor de iglesias pequeñas, y al igual que esta mujer, había aceptado dentro de mi vida ese flujo (ese desangre espiritual), pues ganaba a las personas para Cristo pero ingresaban por una puerta y salían por otra. Me había acostumbrado a vivir en medio de esa situación. Sabía que había algo mejor, algo diferente, y fue en ese momento de inconformismo que decidí renunciar a la clase de pastorado que estaba llevando y comencé a buscar de Dios con todo mi ser para que Él diera dirección a mi vida. "Y me buscaréis y me hallaréis, porque me buscaréis de todo vuestro corazón" (Jeremías 29:13). Cuatro meses después de estar en esa búsqueda profunda, Dios me habló y le oí claramente. Mediante aquel mensaje, el Señor tuvo que renovar completamente mi mente. Él me hizo ver que todo es posible a través de la fe, todo es posible si uno puede creer. La voz de Dios se convirtió en la llave de mi esperanza.

PODEMOS ESCUCHAR LA VOZ DE DIOS

Después de esa experiencia llegué a ser una nueva persona, pero todo, en realidad, comenzó porque pude oír la voz de Dios. El profeta Isaías dijo en el verso 50:4 "... despertará mañana tras mañana, despertará mi oído para que oiga como los sabios". Qué importante es que nosotros aprendamos a oír la voz de Dios. Esto requiere que pasemos tiempo en su presencia leyendo la Biblia. Debemos leerla y leerla hasta que la Palabra de Dios se convierta en la guía de Dios para nuestra vida. Muchas personas leen la Escrituras pero nunca oyen la voz de Dios, y lo que realmente hace la diferencia es oír la voz de Dios a través de la Palabra. De este modo es como se activa la fe y puede florecer la esperanza en nuestros corazones.

Cuando tenemos la tarea de formar personas, es indispensable que llevemos a todos nuestros discípulos no a que sean buenos lectores de la Biblia sino a que puedan aprender a oír la voz de Dios a través de ella. Dios nos habla no solamente a través de las Escrituras, también lo hace a través de las circunstancias -como una enfermedad o un problema familiar- o por medio de sueños. Lo más importante es que podamos oír con claridad su voz en cada situación. Si Dios nos dio la tarea de formar gente, debemos orientarlos y ayudarlos para que, por sí mismos, ellos puedan oír la voz de Dios; porque la fe solamente puede venir a través de la voz de Dios. La Palabra de Dios, expresada por medio de la Biblia y entendida por la revelación del Espíritu Santo, es lo que transforma lo imposible en algo fácil de alcanzar; es lo que produce renovación de la mente y trae aliento de vida; es el medio por el cual obtenemos nuevas fuerzas, para lanzarnos a conquistar sin temor aquello que, de otra manera, nos parecía un imposible.

VISUALIZAR EL ÉXITO

Esta mujer de la cual se relata en Marcos capítulo cinco no tenía lo que podríamos decir una visión de éxito ni de prosperidad, sino de fracaso. Imagínese el cuadro que ella veía permanentemente. Al mirarse en el espejo, su rostro estaba demacrado. Se sentía agotada, acabada. No poseía ya más recursos económicos, y esto le cerraba las puertas de la esperanza. Sólo podía observar cuán caótica era su situación.

Una de las maneras como el adversario logra captar nuestra atención es a través de nuestras propias circunstancias. Él nos insta a que busquemos una solución lógica; o nos convence de que con nuestras propias fuerzas y recursos intentemos salir adelante. Y cuando no lo logramos, se desata un conflicto interno que nos lleva a cuestionarnos lo que debimos o no debimos haber hecho. Con este enfoque, toda la atención se centra en el problema y no en la solución. Cada día que pasa, la salida está mucho más lejos porque ella sólo se obtiene a través de la fe. Y la fe ya ha quedado muy atrás dado que los únicos cuadros que se han logrado pintar en la mente son los negativos, los que han cerrado todas las puertas a la esperanza.

Esa era la situación en que se encontraba aquella mujer. Se había centrado tanto en su problema que no sentía que hubiese ni tan sólo una pequeña luz de esperanza.

DEBEMOS PINTAR CUADROS

Después que escuchó acerca de Jesús, vino toda una renovación mental en aquella mujer, y comenzó a pintar un cuadro de sanidad para su vida. En un instante, la luz de la esperanza brilló nuevamente y empezó a contemplar detenidamente su sanidad. Meses atrás me encontré con la esposa de mi sobrino, y cuando la vi caminando con muletas le pregunté qué le había pasado. Me dijo que había sufrido un accidente y que perdió el cartílago de su rodilla, por lo cual ésta nunca volvería a funcionar correctamente. Sin perder tiempo, la llevé a que ella misma empezara a pintar cuadros de sanidad en su mente, donde pudiera verse completamente sana, haciendo todo aquello que los médicos le decían que no volvería a hacer. Cuando ella tuvo la imagen clara en su mente, la desafié a que en un acto de fe doblara su rodilla. Aunque trató de titubear por un momento, se fortaleció en Dios, manteniendo sus ojos en el cuadro que visualizaba en su corazón. En cuestión de segundos el milagro ya se había producido en su vida. Estaba saltando y corriendo tan perfectamente como lo hacía antes. Cuando regresó a los chequeos de rutina, todos, tanto enfermeras como doctores, quedaron tan sorprendidos por el milagro que se comprometieron a asistir a las reuniones de la iglesia.

Como hijos de Dios, gozamos del privilegio de caminar por el sendero de la fe. Pero es fundamental dejar de ver el problema y fijar toda nuestra atención en lo que Dios nos enseña a través de su Palabra. Pues, si logramos captar las imágenes de Dios, podremos pintar hermosos cuadros por medio de nuestra imaginación y nuestros pensamientos. Todo aquello que logremos ver nítidamente con los ojos de la fe, pronto se convertirá en una gran realidad en nuestras vidas.

CONFESIÓN DEL MILAGRO

Aquella mujer decía: "Si tan sólo tocare el borde de su manto, seré sana". El apóstol Pablo dijo: "Porque con el corazón se cree para justicia, pero con la boca se confiesa para salvación" (Romanos 10:10). Es fundamental enseñarles a nuestros discípulos que, una vez que ellos han logrado pintar en sus mentes de una manera clara las metas que podrán alcanzar en fe, deben hablar de ellas con tanta seguridad como si ya las hubieran obtenido. Cuando escribimos y declaramos nuestras metas, nos ponemos inmediatamente en evidencia, una motivación interna se produce dentro nuestro pues sentimos que tenemos que alcanzar el mismo nivel de la confesión que hemos realizado.

Una de las costumbres de Thomas A. Edison era llamar a los periodistas. Los convocaba a una rueda de prensa y hablaba acerca de algún nuevo invento que había hecho. Lo declaraba con tanta claridad y seguridad que despertaba gran curiosidad e interés en la gente. Luego, corría a su laboratorio para llevarlo a cabo. Él sabía la importancia de poner en evidencia un proyecto y luego trabajar arduamente por las metas confesadas.

Para muchos es más fácil tener una meta en secreto y nunca compartirla con la gente, porque si la cumplen, sienten algo de satisfacción, y si no la logran, no hay problema, porque nadie se enteró del asunto. Pero cuando compartimos una gran meta, esto produce una reacción en nuestro ánimo que nos lleva a trabajar con mucha mayor fuerza e intensidad que cuando no la declaramos.

Debemos tener metas desafiantes que impliquen un esfuerzo en la fe, que vayan más allá de la lógica. Esto quiere decir que las metas anheladas deben ser ganadas en el mundo de la fe, pues es allí donde Dios interviene y activa a los ángeles para que nos ayuden a cumplirlas. Todo este sistema de verdades se mueve por medio de la palabra. Lo que nosotros decimos determina lo que vamos a llegar a ser y a conquistar. A través de la palabra trazamos el camino, ya sea de vida o de muerte. "De todo dicho ocioso que digan los hombres, tendrán que rendir cuentas en el último día. Porque por causa de tus palabras serás declarado justo, o por tus palabras serás condenado" (Mateo 12:36-37).

UNA META ES UNA DECLARACIÓN DE FE

El Señor siempre actúa en comunión y concordancia con la Palabra. "Antes de crear el mundo, era la Palabra, y la Palabra estaba con Dios, y la Palabra era Dios. Esto era en el principio con Dios" (Juan 1:1-2). La Palabra de Dios, al ser expresada, creó el universo. Cuando una palabra sale de la boca de Dios, ésta no puede retornar hasta que no haya cumplido todo el propósito para la cual fue enviada. Cuando los creyentes toman la Palabra y la hacen parte de su propia vida, y la confiesan creyendo, Dios pone en movimiento toda la esfera angelical a favor de ellos, porque nada hay imposible para aquellos que han depositado toda su confianza en Dios. El escritor a los Hebreos dice: "Por la fe entendemos haber sido constituido el universo por la palabra de Dios, de modo que lo que se ve fue hecho de lo que no se veía" (Hebreos 11:3). La confesión de la palabra de aquella mujer hizo que el ejército del cielo trabajara en favor de ella.

MOTIVE A SU EQUIPO A ALCANZAR SUS METAS

Cuando me reúno con mi equipo, les pregunto acerca de las metas que ellos tienen para ese año. Siempre sus metas están muy por debajo de lo que he concebido en mi espíritu para que ellos realicen. Cuando escucho sus declaraciones, me doy cuenta que las han elaborado no en la dimensión de la fe, sino en el plano natural, por lo que tengo que comenzar a ministrar sus vidas, darles palabras de fe, palabras de aliento, de esperanza, enseñarles que ellos pueden llegar a superar en gran manera esas metas que se habían propuesto. Finalizada la reunión, generalmente vemos que la declaración de fe en ellos ha cambiado de una manera extraordinaria.

Cuando mi esposa se reúne con su equipo, queda sorprendida porque ya no necesita inyectarles fe, pues ellas mismas son las que se han puesto metas ambiciosas que muchas veces nos han sorprendido, pues los desafíos de fe que ellas han llegado a concebir sólo pueden venir del Espíritu de Dios.

LO QUE USTED PUEDE CREER, PUEDE ALCANZAR

La confesión de nuestras metas debe ser el resultado de lo que hayamos logrado visualizar en nuestro corazón. Lo que podamos creer en la mente, será fácil confesarlo con nuestros labios. No podemos pensar en una meta de cien personas si en nuestra mente solamente hemos creído por diez, no podemos confesar una meta de mil personas si en nuestra mente sólo hemos creído por cien, y no podemos confesar una meta de diez mil personas si en nuestra mente sólo hemos concebido unas mil. Nuestras visiones deben estar muy ligadas a nuestra confesión, porque la confesión es la expresión de lo que ya logramos conquistar en el plano espiritual. Luego, el mismo Señor moverá el ejército angelical para que trabaje de acuerdo a las metas. Es como que el Señor los moviera y les dijera: "Esas metas que ellos han declarado, ayúdenlos para que se hagan una realidad".

ACTUAR OSADAMENTE EN FE

Aquella mujer, en un acto osado de fe, dijo: "Si tan sólo tocare el borde de su manto, seré sana". Cuando uno ha logrado creer, ha logrado visualizar y ha confesado la Palabra, tiene que comenzar a moverse en fe y ya no mirar los obstáculos y las adversidades que pueda encontrar en el camino.

Aquella mujer sabía que llegar a Jesús era prácticamente un imposible, pero había seguido los pasos correctos. Ahora, su visión la había llevado a moverse y a quitar todos los obstáculos que había delante de ella, logrando así llegar hasta donde estaba Jesús. La culminación de todo, en realidad dependía de su acción. Si ella hubiese esperado hasta que Jesús se detuviera y regresara hasta el lugar donde ella se encontraba, posiblemente nunca habría experimentado el milagro de sanidad en su cuerpo.

FE PARA VENCER OBSTÁCULOS

Lamentablemente, no todos imitan a esta mujer. Muchos toman una actitud de queja, piensan que no son importantes y que Dios se olvidó de todas sus necesidades, pues si fueran importantes para Dios, Él ya habría venido en su ayuda. Pero la actitud de esta mujer fue completamente diferente a la de muchos. Ella era una mujer con determinación: "Si Jesús no viene hasta mí, yo voy a ir hasta donde Él se encuentra, sin importar los obstáculos que tenga que librar". Lo que Jesús tuvo en cuenta fue la acción de fe de esta mujer. Ella había dado los pasos correctos para experimentar el poder de Dios en su vida. Por este motivo, la mujer se abrió espacio, llegó hasta donde estaba Jesús, extendió su mano y tocó el borde de su manto. Y al tocar el borde de su manto, inmediatamente recibió la respuesta a su problema. El milagro que tanto anhelaba, en ese instante, lo estaba recibiendo, y en plenitud. Cuando logramos abrirnos camino en medio de la adversidad y llegamos hasta la intimidad con Dios, podemos hacer que las cosas sucedan. La fe es la forjadora de nuestro destino. Ella es la que produce dentro de nosotros el querer como el hacer por su buena voluntad. La fe nos pone en un plano espiritual tan alto que no permite ver los obstáculos, pasando por encima de ellos. La fe nos lleva hasta Jesús, pero no para tocarlo sino para extraer el poder de Dios a nuestro favor. Por ese motivo, Jesús le dijo a aquella mujer: "Hija, tu fe te ha hecho salva; ve en paz, y queda sana de tu azote".

COMO LA FE DE UN NIÑO

Jesús nos dijo que si no nos volvíamos como niños, no entraríamos en el reino de Dios. Ante la crítica de sus contradictores, que le incitaban a hacer callar a los niños que no cesaban de alabarle, Él les dijo: "¿Nunca leíste: De la boca de los niños y de los que maman perfeccionaste la alabanza?" (Mateo 21:16.

Una de las grandes lecciones de fe la recibí de una de mis hijas. Cuando Sara tenía cinco años de edad, quería comprar una motocicleta que estaban exhibiendo en uno de los almacenes de Bogotá. Un día me llevó a ese centro comercial y me dijo: "Papi, quiero comprar esta motocicleta". Cuando yo vi el precio, ochocientos dólares, le dije: "Mi amor, ese es un juguete muy costoso para ti, y no te voy a comprar esa motocicleta". Mi hija no discutió más acerca del tema. Fuimos al almacén de al lado donde vendían unas carteritas. Ella se fijó en una de diez dólares y me dijo: "Papi, ¿me puedes obsequiar esa billetera?". Yo le dije: "Claro, mi amor". El costo era muy razonable, por lo tanto le obsequié la billetera de diez dólares. Luego me dijo: "Papi, ¿me puedes regalar diez dólares?". Y yo le dije: "Claro, mi amor". Y le di los diez dólares. Inmediatamente ella me miró y me dijo: "A partir de ahora, voy a reunir el dinero para comprar mi moto en una semana". Aunque conocía que mi hija era muy intrépida y decidida, pensé que estaba hablando de algo que no podría conquistar. Luego comprendí que era como un desafío de fe que ella se había propuesto. Ese mismo día fue con sus abuelos y tíos, e hizo que cada uno de ellos le obsequiara diez dólares. Después, llegó a la reunión donde estaban los líderes de jóvenes y también hizo que cada uno le regalara diez dólares. Más tarde, fue a la reunión de líderes de hombres y logró que cada uno de ellos le diera diez dólares. Luego, asistió a la reunión de mujeres y le pidió a cada una del equipo que le regale diez dólares. Con el ímpetu que la caracteriza, en cuestión de una semana había reunido más de ochocientos dólares. Entregó en mis manos lo que había recolectado y me dijo: "Papi, pude reunir el dinero. Quiero comprar mi motocicleta". Cuando recibí el efectivo, le dije: "Sara, eres una mujer de fe. Podrás conquistar lo que quieras en esta vida porque con esto que hiciste has demostrado que no hay obstáculos ni barreras para ti".

Dios siempre nos permite tener desafíos que quizás, en primera instancia, veamos como la montaña más alta que nos ha tocado escalar. Pero una vez que logramos subirla, sentimos que no era tan grande.

Al ver otras montañas mucho más altas, el desafío conquistado nos motiva a seguir conquistando otros mayores. Por eso, es importante que dentro de su equipo haya grandes desafíos de fe y que sus discípulos sientan la satisfacción de haberlos conquistado, pues esto les producirá un mayor entusiasmo para enfrentarse a cualquier situación que tengan por vencer.

Capítulo 2

TENGA LÍDERES VISIONARIOS

Marcos 10:46-52

RECOBRANDO LA VISIÓN

¿Ha tenido la oportunidad de ver a alguien que haya sido ciego por muchos años y que luego recobra la vista?

Pues yo lo he podido ver en varias de las reuniones de milagros que hemos realizado, y ninguno de ellos puede parar de llorar en gratitud a Dios porque era lo que él tanto estaba esperando y su familia estaba anhelando.

Recuerdo que en una de estas reuniones, los enfermos habían pasado al frente de la plataforma y cuando estaba pidiendo testimonios, una señora se acercó con una niña de unos diez años de edad, la tenía en sus brazos y se dirige y me dice: "Mi niña está viendo, ella era ciega y ahora ve". En aquel momento pensé que esta mujer estaba exagerando y no le di mayor importancia, presté mi atención a otros milagros que estaban ocurriendo. Luego me quedo mirando a la niña, y ella fija su mirada en mí. La saludo moviendo mi mano y ella hace lo mismo. Rápidamente la llamé a la plataforma y le pregunté a la madre qué tenía la niña. Ella me dijo: "Desde que nació tuvo problemas en sus ojos y ha venido perdiendo la vista, dejándola prácticamente ciega, pero ahora mientras orábamos mi hija empezó a ver". Se puede imaginar la reacción de los presentes en el auditorio, todos estaban celebrando el milagro de la visión que había recibido esta preciosa niña.

Piense por un momento lo que sucede en el mundo espiritual donde millones de ángeles lo están observando. Posiblemente usted había nacido al ministerio con poca visión y con el paso de los años ésta desapareció. Pero de pronto decide creerle a Dios y Él le devuelve la visión, sus ojos espirituales se abren y todo lo puede ver y entender claramente ¿Cómo será la celebración que darán los ángeles en el cielo por este gran milagro?

SIN VISIÓN HAY EQUIVOCACIONES

Uno de los grandes milagros de sanidad que hizo Jesús, fue cuando le devolvió la vista a Bartimeo. Este milagro viene a ser un prototipo de aquellos que no han podido ver todas las maravillas que hay en el mundo espiritual, porque aunque tienen ojos, estos han permanecido cerrados. Mas del mismo modo que Bartimeo tuvo que desafiar las circunstancias para obtener ese gran milagro, es lo que nosotros también debemos hacer para que nuestros ojos sean abiertos.

Me llamó mucho la atención una anécdota que años atrás le escuché a un predicador. Él hablaba de un hombre que quiso hacer un experimento con algunos ciegos, y llevó a cuatro de ellos y los puso delante de un elefante. Aunque ninguno sabía lo que tendrían al frente, cada uno de ellos debería dar una descripción de la impresión percibida en lo que ellos estaban palpando. El primero de los cuatro fue y tocó la pata de el elefante y la describió como una columna; el otro fue y tocó el vientre y dijo: Esto es una pared; el otro fue y tocó la cola del elefante y dijo: Esto es una escoba; el otro fue y tocó el colmillo y dijo: Esto es una daga.

¿Cuál es la moraleja de esta experiencia? Que nunca podremos tener una descripción correcta de las cosas si no tenemos visión. Muchos de los pastores que nos visitan en Bogotá con el ánimo de aprender acerca de la visión, van en busca de un método; ellos quieren una fórmula matemática; el cómo hacer las cosas de una manera mecánica. Aunque los métodos por lo general ayudan, lo más importante es la visión. Un ciego puede tener toda clase de instrucciones cuando quiere desplazarse de un lugar a otro, pero en el camino siempre va a encontrar dificultades que sólo se podrán obviar si se tiene la vista. Del mismo modo, aunque alguien tenga muy en claro cada uno de los pasos de la visión, esto no sería de mucha ayuda si aun sus ojos espirituales no se han abierto. Sé que para algunos el tener sus doce les haría creer que están en la visión; otros dirán; la visión es hacer células; otros tendrán la seguridad que la visión es trabajar con grupos homogéneos; otros podrán aseverar que la base de la visión es hacer guerra espiritual. Aunque cada uno de estos elementos es parte de la visión, no obstante la visión se debe mirar como un todo; pues el desarrollo integral de la misma será lo que nos conducirá al éxito.

SIN VISIÓN NO SE PUEDE DIFERENCIAR

Bartimeo estaba cerca de Jericó y sabemos que Jericó representaba la ciudad maldita, aquella que Josué maldijo después de conquistarla y dijo: "Maldito el que reedificare Jericó...". Desde aquel entonces esta ciudad ha sido sinónimo de maldición. Este hombre a causa de su vista, no podía diferenciar entre lo hermoso y lo feo; entre la bendición y la maldición; entre la prosperidad y la escasez. Para un ciego su mundo es lo que le rodea, aquello que sólo está a su alcance, y por lo general su desarrollo es muy limitado. Salomón dijo: Sin visión el pueblo perece.

SIN VISIÓN DEPENDEMOS DE LA MISERICORIDA DE OTROS

Bartimeo, como de costumbre, estaba a las afueras de la ciudad sentado junto al camino mendigando. Este hombre podría representar un ministerio que perdió la visión y está en una actitud pasiva o inactiva, pues al perder la visión perdió también el deseo de ganar almas y está pendiente de qué predicador invita, para poder mantener con vida su ministerio.

El evangelio predicado por Jesús era un evangelio integral, en el cual Él siempre se preocupó por las necesidades de la gente, y por este motivo vivía sanando enfermos, limpiando leprosos, perdonando a los pecadores y dándole esperanza a los desamparados. El perder la visión es la estrategia utilizada por el diablo para sacarnos de combate, su meta es llevar al líder a un estado de postración, donde éste pierde el ánimo y el deseo de conquista.

SIN VISIÓN SE ESTÁ FUERA DEL PROPÓSITO

Este ciego estaba junto al camino. Existe una gran diferencia entre estar junto al camino, y el estar dentro del camino. Jesús dijo: "Yo soy el camino". Estar junto al camino significa que por causa de su ceguera, se sintió impotente para estar desplazándose de un lugar hacia otro. Cuando un creyente logra entrar en una relación de intimidad con Jesús, por medio de una vida de oración, que es lo único que nos mantiene en el camino, esta relación hace que nuestros ojos sean abiertos y veamos con claridad su luz. Nuestro espíritu se ensancha y sentimos que somos uno con Él; nuestra mente se abre, y entendemos con claridad la revelación de su Palabra. Quien no esté en el camino, no podrá ver a cara descubierta como en un espejo la gloria del Señor. (2 Corintios 3:18).

CLAMANDO POR MISERICORDIA

Este hombre cuando supo que Jesús estaba pasando por aquel lugar, levantó la voz pidiendo misericordia. El Señor dijo: "Clama a mí y yo te responderé y te enseñaré cosas grandes y ocultas que tu no conoces", (Jeremías 33:3). Aunque la gente que estaba a su alrededor, trato de que él callase y se conformara con su situación, este hombre no se dejó amedrentar por la oposición y clamó con más fuerza: "Jesús hijo de David ten misericordia de mí". Debemos entender que la perseverancia es un requisito fundamental para obtener el milagro y para que la visión sea restaurada. A este hombre poco le importó la oposición de la gente, ni el menosprecio de algunos, al contrario, con mayor fuerza elevó su voz implorándole a Jesús misericordia, y el Señor alcanzó a oír el clamor del ciego. Entonces Jesús deteniéndose mandó llamarle. Si este hombre no clama con todo su corazón y sus fuerzas nunca habría obtenido el milagro. Dios muchas veces permite que lleguemos a situaciones desesperantes, para que nos refugiemos en la oración y clamemos hasta obtener la respuesta.

PASOS PARA RECOBRAR LA VISIÓN

Uno de los mensajeros enviados por Jesús le dijo: Ten ánimo, levántate, te llama. Pensemos por un momento en lo que significan estas tres frases:

Ten ánimo.

La respuesta de este ciego pudo haber sido: Para alguien que ha perdido la familia, los amigos, el dinero, el respeto, y hasta el deseo de vivir, no es fácil tener ánimo. Lamentablemente muchos pastores que han experimentado la esterilidad ministerial por muchos años, han llegado a creer que lo mejor es no intentarlo de nuevo; pues para ellos les es difícil creer que Dios los pueda usar como instrumentos de poder en sus manos, y experimentar un crecimiento explosivo dentro de sus congregaciones y no se sienten con ánimo de probar con un método más.

Pero para que el milagro suceda dentro de nuestros ministerios, necesitamos tomar un nuevo aliento, pues el ánimo es darle de nuevo esperanzas a nuestra alma, es creer que el milagro de estar dentro de la visión nos permitirá conquistar con él.

Levántate.

El propósito de las adversidades es dejar postradas a las personas; usted recordará cuando Moisés al sentir el galopar de los ejércitos de faraón que venía cabalgando impetuosamente contra ellos, se postró sobre su rostro y clamó por protección y la respuesta del Señor fue: "Por qué clamas a mí, dile al pueblo que marche. El patriarca Job, quien estuvo viviendo una severa tribulación que lo tenía postrado, recibe el mandato de Dios de que se levante y ore por sus amigos, para que su aflicción fuera quitada. La reflexión que hizo el hijo prodigo fue: Me levantaré, e iré a mi padre y le diré, padre he pecado contra el cielo y contra ti. En cada situación tuvo que haber un esfuerzo de parte de las personas, estos tuvieron que levantarse de su situación para que luego Dios los pudiera bendecir. Sé que son muchos los líderes que hacen un gran esfuerzo por asistir a las diferentes Convenciones que hemos organizado en los diferentes lugares del mundo, para enseñar sobre la visión; con esto están demostrando que anhelan que el milagro ocurra lo más pronto posible en sus ministerios.

Te llama.

Ninguna persona podrá acercarse a Dios, a menos que sea llamada por Él. El hecho de que en este momento usted se encuentre leyendo esta enseñanza, es una muestra de que Dios está interesado en su vida y ministerio, y le está extendiendo la invitación a que tome ese nuevo aliento y se levante con la respuesta firme de obedecer a su llamado. Debe entender que usted es la respuesta de Dios para suplir la necesidad espiritual que existe en este mundo en estos días actuales y que pueda, a través de la visión, llenar ese vacío que hay en muchos corazones.

ACTÚE EN FE

"Entonces arrojando su capa se levantó y vino a Jesús". Note que había algo que identificaba al ciego, y era su capa. El simple hecho de arrojar su capa significaba, fe. Tenía la plena certeza de que ya no la necesitaría más. En respuesta al llamado de Jesús, y con convicción pensó: Si Él me llama es porque me va a sanar y ya no tendré que usar esta capa porque regresaré viendo. Qué importante es el desprendernos de aquellos conceptos que nos limitaron en nuestro desarrollo ministerial, y tener la plena certeza de que Dios hará el milagro en nuestras vidas, abriendo nuestros ojos espirituales, para que la visión sea parte de nuestras vidas y podamos actuar de la misma manera como lo hizo Jesús en este mundo.

ANHELE LA VISIÓN

¿Qué quieres que te haga? Esta misma pregunta no fue sólo para Bartimeo, sino también es para usted hoy. Piense por un momento, el autor de la vida, dueño de todo lo que existe, todas las riquezas de la tierra a Él le pertenecen, el Único y Soberano Dios, quien tiene la respuesta a todas nuestras necesidades; Él, se pone a nuestra disposición, preguntándonos: "¿Qué puedo hacer por usted?" Aunque este hombre tenía muchas necesidades, él podía haberle pedido por su vivienda, o por la restauración de su familia, o por sus finanzas, etc. Pero él sólo tenía un deseo ardiente en su corazón y era que el Señor le diera visión. Si tenemos visión todas las demás cosas nos vendrán por añadidura. Lamentablemente le hemos pedido de todo al Señor, menos visión. Cuando Dios le dijo a Salomón, pídeme lo que quieras que yo haga por ti, Salomón pudo pedir riquezas, pudo pedir que el Señor se vengara de sus enemigos pero no lo hizo, pidió entendimiento para saber cómo gobernar: Señor dame sabiduría para poder gobernar este pueblo y Dios se agradó tanto de la petición de Salomón que no solamente le dio entendimiento, sino también lo bendijo con riquezas; pues la sabiduría consiste en poder entender el corazón de Dios, revelado a través de su Palabra y el estar dispuestos a obedecerle en todo.

LO QUE VEAMOS EN LOS ESPIRITUAL SE REPRODUCIRÁ EN LO NATURAL

Cuando entramos en la vida del Espíritu, podríamos decir que hemos entrado en el mundo de Dios. Él abre nuestros ojos espirituales y nos permite ver con claridad lo que Él tiene para nosotros, porque lo que nosotros necesitamos ver no está en lo natural, solamente está en el plano espiritual. El ojo humano nunca podrá llegar a ver lo que Dios desea que veamos, pero al entrar en la dimensión de la fe, el mismo Espíritu comienza a traer imágenes claras a nuestra vida, o a nuestra mente y nos alienta y motiva a ser conquistadores. Así como cuando uno está soñando, vive el sueño sintiendo que está allí presente, de la misma manera sucede cuando entramos en el mundo de Dios y comenzamos a recibir sus sueños, para uno es algo muy real.

Cuando José soñó acerca de las once gavillas que se inclinaban ante la suya, o las once estrellas que se postraban juntamente con el sol y la luna ante él (Génesis 37:7), Dios le estaba mostrando algo que en la lógica humana no se podía aceptar: que el menor de los hermanos fuese a soñar estar sobre los mayores era algo muy absurdo.

Cuando Dios nos da visiones muchas veces se ven confrontadas con la lógica y podemos llegar a encontrar personas que tratarán de decirnos: "¿Qué es esto que está soñando?; no siga soñando así; eso es un absurdo; no acepte ese sueño".

Pero debemos saber que todo sueño que proviene del Espíritu siempre nos motiva a proteger nuestras vidas, cuidar nuestra familia y engrandecer la obra de Dios. La única manera de llegar a tener los sueños de Dios, es que el Espíritu traiga su revelación a nuestra vida, y esto es algo que solamente ocurre porque nuestro espíritu está conectado y unido al Espíritu de Dios. No es fuerza humana, no es poder humano es solamente la unidad de nuestro espíritu con la presencia divina.

MI MINISTERIO CAMBIÓ CUANDO PUDE VER

Cuando Dios me habló en el 83 y me dijo que soñara con una iglesia muy grande, inmediatamente mis ojos espirituales se abrieron; me apropié de aquella palabra, y pude ver con tanta claridad las multitudes que brotaban de la arena del mar. Esa visión cambió por completo mi vida, pues antes me era muy difícil ver la salvación de las almas. Pero desde que mis ojos se abrieron, he podido ver la salvación de miles y miles de almas que se convierten al cristianismo continuamente, y he visto las sanidades siendo operadas por el Espíritu Santo en muchos cuerpos.

Puedo decirle que hay una gran diferencia entre aquel que ve y aquel que está ciego ministerialmente. Posiblemente cuando usted se convirtió tuvo visión, pero las mismas circunstancias lo hicieron alejarse de la visión, pero hoy usted le va a pedir al Señor en oración: "Señor ten misericordia de mí, y ayúdame a recobrar la visión, que entienda el propósito tuyo para mi vida, que entienda Señor que la visión es lo más importante para mi vida; quiero recobrar la visión para poder cumplir tu propósito en esta tierra". El Señor le dijo a Bartimeo: "conforme a tu fe suceda contigo, e inmediatamente recobró la visión, y seguía a Jesús en el camino". Inmediatamente a este hombre ya no le importó estar al lado del camino, se ubicó en el camino, entró en la visión y seguía a Jesús en el camino. Y hacer la visión, es algo muy fácil.

Es importante que en este momento se detenga en la lectura de este libro, y le clame a Dios con todas tus fuerzas, tal como lo hizo Bartimeo, y le pida a Jesús que tenga misericordia de usted, y le dé visión. Y va a clamar hasta que sientas que el milagro ya está concretado en su vida.

Capítulo 3

AYÚDELOS A CONQUISTAR
SUS SUEÑOS

«Y soñó José un sueño...»
Génesis 37:5-8

AYUDANDO A LOS DISCÍPULOS

Cada persona que Dios ha permitido que forme parte del equipo necesita palabras de aliento y de motivación. Usted, siendo líder, debe saber cómo ayudarles a mantener despiertos sus sueños, debe enseñarles que los alimenten a diario, que no pierdan el objetivo de lo que el Señor anhela que ellos realicen. Por tal motivo, debe invertir mucho tiempo en ellos, ayudándoles a que superen también sus conflictos emocionales.

Muchas personas, por lo general la gran mayoría, tienen sueños que nunca concretan porque los abandonan antes de tiempo; permiten grietas en su carácter y sucumben en medio de la prueba. Lo que vivió José en su vida personal nos sirve como experiencia para que ayudemos a nuestros discípulos a que puedan superarse, a que salgan adelante en medio de sus luchas y así puedan concretar sus sueños.

POCOS ENTIENDEN A UN SOÑADOR

El Señor le dio a José un sueño que le reveló el curso que tomaría su vida y los grandes designios del Señor para él. Cuando José compartió el sueño con sus hermanos, ellos lo tomaron a mal, pues él era el menor de la familia y, por ser el preferido del padre, pensaban que usaría ese privilegio para enseñorearse de ellos. Por lo tal, prefirieron rechazarlo.

Pero la copa rebalsó cuando José tuvo el segundo sueño. «Y soñó José un sueño, y lo contó a sus hermanos; y ellos llegaron a aborrecerle más todavía. Y él les dijo: Oíd ahora este sueño que he soñado: «He aquí que atábamos manojos en medio del campo, y he aquí que mi manojo se levantaba y estaba derecho, y que vuestros manojos estaban alrededor y se inclinaban al mío. Le respondieron sus hermanos: ¿Reinarás tú sobre nosotros, o señorearás sobre nosotros? Y le aborrecieron aun más a causa de sus sueños y sus palabras, Soñó aun otro sueño, y lo contó a sus hermanos, diciendo: He aquí que he soñado otro sueño, y he aquí que el sol y la luna y once estrellas se inclinaban a mí» (Génesis 37:5,8,9). Sus hermanos manifestaron tal disgusto ante su padre que éste lo reprendió para que no tuviese esa clase de sueños, dado que, humanamente, esos eran sueños imposibles.

ENFRENTANDO LA OPOSICIÓN

Pero mientras Dios estaba mostrándole el futuro de bendición a José, por otro lado, el infierno estaba tan preocupado que movió rápidamente a sus mejores soldados para que se opusieran a que José continuara con vida. La consigna era impedir por todos los medios que los sueños de Dios se llevaran a cabo. Con seguridad que fue el enemigo quien plantó pensamientos de mal en las mentes de los hermanos de José: «No podemos permitir que él vaya a reinar sobre nosotros; solo es el menor de nosotros». Por esta causa, José fue arrojado a una cisterna vacía. En esos momentos José experimentó el abandono. Luego, fue vendido por sus propios hermanos como esclavo. ¿Qué pensarían los hermanos de José después de esto? Creo que entre ellos se habrán burlado y comentado: «El que iba a reinar sobre nosotros ahora es un simple esclavo; y, ¿quién se arrodillará ante un esclavo?».

ENFRENTANDO LA DEPRESIÓN

Debemos entender que el propósito del enemigo en la adversidad es desalentarnos para que perdamos la esperanza y sepultemos nuestros sueños. Esa cisterna viene a representar la oscuridad, la depresión o la soledad que a veces el líder tiene que enfrentar. Aunque José salió de ahí, no salió para libertad sino para esclavitud, porque lo vendieron como esclavo a unos ismaelitas.

José tuvo que atravesar momentos muy difíciles, los cuales fueron causados, en parte, por las personas que él más amaba. Pero no permitió que la adversidad destruyera su sueño. José, después que sufrió el rechazo por parte de su familia, tuvo que aprender a depender plenamente y solo de Dios. Esto obró para que su vida de oración creciera, y le ayudó a ver más claramente el propósito de Dios en medio de la adversidad. Estas situaciones son las que fortalecen el carácter de una persona para conquistar su sueño. Si nos sobreponemos a cualquier adversidad y ponemos toda nuestra confianza en Dios, Él nos dará la victoria y, en su tiempo, se cumplirán nuestros sueños.

ENFRENTANDO OBSTÁCULOS

Detrás de este mundo visible está la esfera de lo invisible, y solamente hay un velo que separa al uno del otro. Aunque tuvo que enfrentar la tentación, aunque fue difamado y por causa de ello llevado a la cárcel, aunque se encontraba en medio de la adversidad, José nunca dejó de alimentar el sueño. Él tenía la plena certeza de que Dios tenía en su agenda el tiempo preestablecido para que éstos se cumplieran. Nosotros debemos tener la misma actitud. Aunque las situaciones parezcan adversas, no se puede desfallecer en la fe hasta obtener la victoria.

Es fundamental que, dentro del liderazgo, nosotros aprendamos que el que es fiel en lo poco, también lo es en lo mucho. Lo poco en la vida de José era la integridad. Dios nos confía su obra cuando Él prueba nuestro carácter, cuando Él prueba nuestra integridad. Todos tenemos que enfrentarnos a problemas, a luchas, a dificultades. Lo importante es pasar la prueba. Y después que José pasó su prueba, lo poco que tenía se hizo mucho.

¿Cuáles fueron los obstáculos que tuvo que enfrentar José en su viaje a la bendición?

1. La envidia. Salomón dijo: «Cruel es la ira, e impetuoso el furor; mas ¿quién podrá sostenerse delante de la envidia?» (Proverbios 27:4). La envidia es como un gigante que se levanta para destruir y matar los sueños, y fue esa misma envidia la que llevó a los hermanos de José a maquinar su destrucción. Por este motivo le menospreciaron, para que él desistiera de sus sueños. Esto lo podemos ver por la manera en cómo se expresaban acerca de él: «Ahí viene el soñador», «Matémosle, a ver qué será de sus sueños»,

El propósito de la envidia es lograr que los líderes lleguen a un nivel de conformismo porque, si ellos siguen creciendo, pueden convertirse en amenaza para los otros ministerios. Los líderes religiosos de la época de Jesús dijeron: «Mirad, todo el mundo se va tras él. Matémosle para que los romanos no se enseñoreen de nosotros».

2. *El rechazo.* Toda visión dada por Dios va a encontrar oposición. Esto, por lo general, tiende a verse en algunos líderes que se resisten al cambio y les cuesta aceptar la innovación. Si el pueblo de Israel no hubiese rechazado a Jesús, la historia de la humanidad habría sido muy diferente. Mas Dios siempre usa la adversidad para traer una gran bendición a sus hijos. El endurecimiento de los judíos fue la salvación de los gentiles. (Romanos 11:11)

3. *Los cambios.* Necesitó fe para enfrentar cada uno de ellos. Después de vivir el rechazo por parte de sus propios hermanos, José tuvo que enfrentarse a tantos cambios que sólo la gracia de Dios lo pudo sostener. El tener que desprenderse de su padre era algo demasiado difícil para él debido a la relación tan estrecha que existía entre ellos. Encontrarse de la noche a la mañana como esclavo en tierra ajena, hallarse encadenado y tras las rejas, eran tantos cambios, y tan duros, que lo único que lo podía mantener con aliento espiritual era la fe en aquel sueño dado por Dios. Y José supo esperar con paciencia.

4. *La tentación.* «Y he hallado más amarga que la muerte a la mujer cuyo corazón es lazos y redes, y sus manos ligaduras. El que agrada a Dios escapará de ella; mas el pecador quedará en ella preso» (Eclesiastés 7:26). El espíritu de seducción rondaba la vida de José para tratar de doblegarlo, pero él se mantuvo firme porque en su corazón había tomado una decisión, la de no fallarle a Dios y no ceder a los deseos engañosos de la carne. Así fue como José logró huir de aquella situación. Él prefirió la prisión física a la prisión sentimental. Dios le protegió en medio de su adversidad, le honró y permitió que su mente se abriera para comprender lo que sucedía en el mundo espiritual. Le era muy fácil interpretar los sueños, pues el haber soportado las pruebas lo había llenado de poder espiritual, y su comunión con Dios, día a día era más estrecha. Todas las pruebas llevaron a José a tener un carácter firme. Después de interpretar los sueños a Faraón, este vio que el espíritu que había en José era superior al de cualquier otro de los que estaban en su palacio, y lo puso como el señor de toda la tierra de Egipto.

UN SUEÑO HECHO REALIDAD

¿Cuántos años tuvieron que pasar antes de que se cumpliera lo que Dios le había mostrado a José? ¿Qué habrá pensado cuando vio a sus hermanos que habían ido hasta Egipto en busca de alimentos y, sin conocer su identidad, se postraron ante él haciéndole reverencia? Posiblemente tuvo un momento de gratitud a Dios, en el que reconoció que ningún hombre puede oponerse al cumplimiento de los sueños dados por Dios.

DIOS NOS FORTALECE PARA QUE ALCANCEMOS NUESTROS SUEÑOS

A los dos años de haber iniciado el ministerio, cuando aun éramos una iglesia que recién estaba naciendo, invitamos un domingo a un pastor amigo para que predicara. El Espíritu Santo fluyó a través de él trayendo una palabra profética, y el servicio giró en torno a la profecía, la cual era el sueño de Dios revelado a nuestras vidas. Ella hablaba de lo que Dios iba a hacer con esta iglesia, de cómo iba a levantar el liderazgo, de cómo iba a establecer la visión, los grupos celulares, cómo el ministerio iba a crecer y crecer, y que muchos que no entenderían, lo criticarían; pero que una vez que hubiese pasado el tiempo de prueba, los fieles serían levantados dentro del liderazgo como capitanes de sus respectivos ministerios. Aunque todo esto lo vivimos en el año 1990, cuando mi esposa decidió incursionar en el campo político, muchos no comprendieron lo importante que era y que es para los cristianos entrar en esta esfera y salieron de la iglesia, aun algunos dentro del liderazgo. Pero después de esto fue cuando más empezamos a crecer. Vino una mayor unidad dentro del liderazgo, y se consolidaron lazos de amistad y de apoyo, llegando a ser mucho más fuertes que antes en todo el equipo.

Cuando aprendemos a soportar juntos las dificultades, a llorar juntos en las pruebas, y también a reír juntos, el amor se hace más fuerte, el compañerismo se vuelve más sincero y la relación entre las personas, más transparente.

El precioso liderazgo que conforma la MCI, lo integran aquellos que tuvieron la fuerza de soportar cualquier viento de prueba. Ellos son los que hoy en día están hombro a hombro luchando a nuestro lado.

ENSEÑANDO A LA IGLESIA A ORAR

Dos meses antes del atentado, nos habíamos lanzado a conquistar uno de los auditorios más grandes de Bogotá, el Coliseo cubierto El Campín. Estábamos teniendo allí dos reuniones todos los domingos, y Dios estaba respaldándonos de una manera poderosa.

Para ese entonces, recibimos la visita de unos preciosos profetas de Dios, y uno de ellos me profetizó: «Satanás ha arrojado lo más sucio que tiene contra ti, pero yo he decretado que ningún arma forjada contra ti prosperará y que la muerte no te dañará. Pondré ángeles delante de ti, y alrededor de ti, para que te guarden, y a toda tu familia. He establecido este decreto en los cielo: diablo, no puedes volver a tocar a mi siervo».

Cuando escuchamos esta palabra profética, no la entendimos. No sabíamos si se refería quizá a algo del pasado. A los dos meses vino el atentado. Y después de esto, comprendimos aquella palabra profética. Era como si este pastor se hubiera trasladado hasta el momento del atentado y hubiese profetizado lo que nosotros experimentamos cuando el espíritu de muerte quiso tocarnos para destruirnos. El domingo del atentado, yo había predicado acerca del poder de la bendición. Aquel día les dramaticé a los hermanos cómo deberíamos orar, y les dije: «Nosotros no sabemos orar, porque la genuina oración es aquella que tiene más gemidos que palabras. Debemos dejar que el Espíritu Santo interceda a través nuestro con gemidos indecibles». Luego, me hinqué sobre mis rodillas y empecé a gemir, dándoles a entender cómo era que Dios quería que orásemos.

EL PODER DE LA INTERCESIÓN

Cuando terminó la segunda reunión, vino el atentado. En poco tiempo la noticia ya había recorrido toda la nación. Algunos decían que me habían matado; otros, que me habían desfigurado; y otros, que estaba en la clínica. La iglesia inmediatamente recordó la predicación y todos los creyentes empezaron a gemir en su espíritu día y noche. Todo el liderazgo gemía y, en su oración, ellos le suplicaban: «Dios, no te lleves a nuestro pastor. Señor, devuélvele la vida al pastor, necesitamos a nuestro pastor». Mi esposa y mis hijas no podían parar de orar. Claudia sabía que mi vida dependía de la oración perseverante. El ambiente que se vivía era tan confuso que aun mi concuñado, quien es médico, después de examinarme, le dijo a mi cuñada: «César no se salva. Si él se llegara a salvar, eso sí sería un milagro, y yo entonces me haría cristiano». Como ya lo deben imaginar, hoy en día es uno de los médicos que nos ayuda dentro del ministerio.

UNA MUJER DE FE

Lo más asombroso de todo vino a ser la fe de mi esposa, que ni por un sólo momento aceptó la idea de que yo pudiera morir. No admitía que se le acercaran personas con actitudes negativas ni que fueran a compadecerla, sólo permitía el acceso a personas que fueran aprobadas en su fe. Llegó a tener tal seguridad de mi sanidad que al lado del lecho donde yo yacía inconsciente, ella estaba firmando los pagarés de nuestra nueva vivienda, porque decía: «Quiero darle esta sorpresa a mi esposo para cuando despierte, el nuevo hogar que él ha estado deseando». Debido a esto, el nivel de intercesión creció no sólo en nuestra familia sino en toda la iglesia. Y después de diez días, Dios se glorificó y me levantó prácticamente de entre los muertos. El superar esta prueba trajo mayor unidad en todo el equipo, donde, a pesar de que tuve que ausentarme por algunos meses, ellos dijeron: «Pastor, no se preocupe, nosotros le hacemos frente a la iglesia como si usted estuviese presente». La adversidad que vivimos trajo mayor compromiso, más fidelidad, y ensanchó el amor de tal manera que ya no necesito estar presente en la iglesia, predicando, porque el equipo de pastores lo hace tan bien como si yo mismo estuviese allí.

ANHELEMOS TENER LOS SUEÑOS DE DIOS

José, desde muy joven, entendió que una de las maneras que Dios tiene para comunicarse con cada uno de sus hijos es revelándoles el futuro. Fue a través de las visiones y de los sueños que él pudo soportar todos los vientos que se levantaron en su contra, porque sabía que lo que Dios revela en el lenguaje de la fe, tendrá su cumplimiento. A diario, mientras su condición física era probada, su espíritu descansaba en aquellos sueños dados por Dios. Sin caer en el desespero ni permitir la duda, logró mantenerse firme en la fe, sin titubear que un día se cumpliría todo aquello que Dios le había prometido.

Cada pastor y líder que pueda entender que Dios no hace acepción de personas, y que pueda comprender que Él quiere llevar a cada uno de sus hijos a conquistar sus sueños, estoy plenamente seguro que lograrán el crecimiento mucho más rápido de lo que se imaginan. El sueño de Henry Ford fue que cada norteamericano tuviese un vehículo; y lo logró. Ahora, debemos entender que el sueño de Dios es que cada uno de sus hijos conciba el sueño del Padre y lo alcance. La pregunta que el Señor le hizo al profeta Isaías fue: «¿Quién ha creído nuestro anuncio, y sobre quién ha sido manifestado el brazo de Jehová?».

LOS SUEÑOS SON EL LENGUAJE DE DIOS

A algunos les cuesta creer que Dios hable por medio de visiones y sueños, pero acaso, ¿no le habló así a María? Y a José le dijo en sueños que huyera a Egipto. Luego, le habló de nuevo en otro sueño diciéndole que regresara. A Pedro le habló en visión para que visitara la casa de Cornelio. A Pablo, desde su conversión, se le manifestó en visiones y sueños, y en una ocasión le dijo en visión que visitara Macedonia. Y, ¿cómo obtuvo Juan la revelación del Apocalipsis?

Como podemos ver, todos los hombres de Dios aprendieron a hablar el lenguaje de la fe a través de las visiones y de los sueños y, por lo general, Dios se agradó de cada uno de ellos.

El sueño que tenemos como iglesia no es otro sino la continuación de lo que Jesús empezó, lo cual es conocido como la gran comisión, donde no solamente vamos a ganar las almas, sino que las consolidaremos hasta que sean verdaderos discípulos de Cristo y puedan reproducirse también en otros. De este modo, veremos que el sueño de Dios, de tener las naciones discipuladas, será una gran realidad.

Querido lector, le invito a que una su fe a la mía y juntos podamos alcanzar nuestras ciudades y naciones para Cristo, a través del Gobierno de los Doce.

Capítulo 4

ENSÉÑELES SOBRE EL PODER
QUE HAY EN LA PALABRA

"En el principio era el Verbo, y el Verbo era con Dios, y el Verbo era Dios. Este era en el principio con Dios. Todas las cosas por él fueron hechas, y sin él nada de lo que ha sido hecho, fue hecho". Juan 1:1-3

LA PALABRA DE PODER

Jesús es el verbo de Dios que siempre ha existido. Juan lo presenta como el «Logos» -que para los griegos significaba: «inteligencia, sabiduría y expresión»-, haciendo ver que la sabiduría y la inteligencia de Dios estaban desde el principio concentradas en Jesús, que Él es el autor de todo lo que existe y que, en su infinito amor, decidió tomar forma humana para hablar en nuestro propio lenguaje las verdades de Dios.

Jesús es la palabra viva de Dios, esa misma palabra que estuvo en la creación del mundo cuando Dios dijo: «Sea la luz». La palabra de Dios entró en acción y en armonía con el Espíritu Santo, ambos lograron transformar el caos en algo útil y hermoso. Pablo dijo: «Esta es la palabra de fe que predicamos», la palabra que transforma las circunstancias.

Era indispensable que el Verbo se hiciera carne. Imagínese, toda la autoridad de Dios, toda la potencia divina, concentrada en una sola persona llamada Jesús de Nazaret. Cada palabra que salía de sus labios era dinamita. Cuando concurrían endemoniados a las reuniones de Jesús, Él solo decía: «Cállate, y sal de él», y los demonios salían del cuerpo de estas personas.

La gente se asombraba y decía: «¿Quién es este hombre que habla con tanto poder y los demonios le obedecen?».

En cierta ocasión, Jesús decidió ir con sus discípulos a otra región, y mientras iban en la barca «se levantó una gran tempestad de viento, y echaba las olas en la barca, de tal manera que ya se anegaba. Y él estaba en la popa, durmiendo sobre un cabezal; y le despertaron, y le dijeron: Maestro, ¿no tienes cuidado que perecemos? Y levantándose, reprendió al viento, y dijo al mar: Calla, enmudece. Y cesó el viento, y se hizo grande bonanza. Y les dijo: ¿Por qué estáis así amedrentados? ¿Cómo no tenéis fe? Entonces temieron con gran temor, y se decían el uno al otro: ¿Quién es éste, que aun el viento y el mar le obedecen?» (Marcos 4:37-41).

EL VERBO LES FUE REVELADO

Jesús quiso probar si sus discípulos habían entendido lo que Él les había enseñado; y si en realidad captaban su verdadera naturaleza. La mejor forma de saberlo era permitiendo una pequeña prueba sobre sus vidas. Aunque Jesús dormía, ellos pensaron que todos los que iban en la barca, perecerían. Sabían como pescadores que, en una situación similar, sólo un milagro los podría salvar. Algo similar sucede con algunas de las pruebas que, como hijos de Dios, tenemos que atravesar. Podemos sentir que los vientos están en nuestra contra, y que por más que tratemos de salir adelante con nuestro esfuerzo, todo será en vano; ahí es cuando decidimos despertar al Maestro y decirle: «Señor, ¿acaso no te preocupa que podamos perecer en esta prueba?».

Cuando Jesús se puso al frente de la situación, después de reprender al viento con sólo dos palabras, el mar se doblegó e hizo reverencia ante la voz de Aquel que hablaba. Los discípulos estaban perplejos por la palabra de autoridad que salía de los labios de Jesús, y el interrogante que vino a las mentes de ellos fue: «¿Quién es este?». Ellos pudieron notar que lo que Jesús realizaba, ningún otro ser humano jamás lo había hecho. Los ojos espirituales de ellos se abrieron y el Verbo encarnado de Dios les fue revelado; pues alguien que pudiera tener control sobre las fuerzas de la naturaleza, y que éstas le obedeciera como lo hace un siervo ante su amo, no podría ser inferior a Dios. Esto ayudó mucho en la fe de los discípulos, porque tuvieron la seguridad de que este hombre era verdaderamente el Hijo de Dios.

NINGUNO LE IGUALABA

En otra ocasión, los líderes religiosos llenos de celos quisieron prender a Jesús, y enviaron a soldados para que lo hicieran. Cuando los soldados regresaron con las manos vacías, éstos les preguntaron: «¿Por qué no le habéis traído?». La respuesta fue: «Jamás hombre alguno ha hablado como este hombre». Aun las personas que vivían alejadas de Dios pudieron notar que el mensaje de Jesús era de aliento y esperanza para la gente; y lo que ellos estaban escuchando, no se podía comparar con lo que los líderes religiosos enseñaban. Estos hombres quedaron maravillados por las palabras de vida que salían de los labios del Maestro.

Toda la autoridad y el poder de Dios estaban concentrados en Jesús. Juan, quien fue uno de los que estuvo cerca de Jesús, dijo: «Y vimos su gloria, gloria como la del unigénito del Padre, lleno de gracia y de verdad» (Juan 1:14).

ÉL QUIERE RELACIONARSE CON NOSOTROS

El Señor, tomando los labios del proverbista, proféticamente dijo: «Me regocijo en la parte habitable de su tierra; y mis delicias son con los hijos de los hombres. Bienaventurado el hombre que me escucha, velando a mis puertas cada día, aguardando a los postes de mis puertas. Porque el que me halle, hallará la vida, y alcanzará el favor de Jehová. Mas el que peca contra mí, defrauda su alma; todos los que me aborrecen aman la muerte» (Proverbios 8:31, 34-36). El Señor dejó muy claro que Él desea relacionarse de una manera deleitosa con el hombre, y que todo aquel que haga el esfuerzo y persevere en escuchar diligentemente su Palabra, será una persona dichosa, que obtendrá el respaldo suyo en todo lo que emprenda. Isaías dijo que si quisiéramos tener lengua de sabios, Dios debería despertar nuestro oído mañana tras mañana, para oír como los sabios (Isaías 50:4). La relación tiene que ser siempre de dos vías, Dios nos habla y nosotros le oímos. Esta relación prepara nuestras vidas para que el Verbo de Dios pueda morar dentro de nosotros.

EL PODER DE LA PALABRA HABLADA POR JESÚS

La familia de Lázaro estaba muy consternada por todo lo que a éste le había sucedido, pues ya llevaba cuatro días de muerto cuando Jesús llegó hasta su tumba y mandó quitar la piedra. Marta, la hermana de Lázaro, estaba asombrada porque esto que estaba haciendo Jesús no era algo usual, y le dijo: «Señor, hiede ya, porque es de cuatro días» (Juan 11:39). Jesús sabía muy bien lo que estaba haciendo. Les estaba dando, no solamente a esta familia sino a todos nosotros, una gran lección: Que cuando tenemos una buena relación con el Verbo de Dios, la misma palabra dará vida a aquellas cosas que hayan muerto. Y la respuesta que le dio fue: «¿No te he dicho que si crees, verás la gloria de Dios?»(vs. 40). Jesús no entró en un período prolongado de oración, Él simplemente agradeció al Padre por haberle escuchado. Luego clamó a gran voz: «¡Lázaro, ven fuera!» (vs. 43). La Palabra de poder había sido expresada, e inmediatamente empezó a correr cumpliendo su propósito, traspasando los cielos y llegando hasta el seno de Abraham, donde estaba Lázaro. La voz de Jesús retumbo en todo el lugar, dejó perplejos a los millones de seres que vivían en ese sitio. Las miradas de todos se volvieron hacia Lázaro, y éste entendió que era la voz de su Maestro y Señor, la cual debía obedecer inmediatamente. Y, aunque fuera en la tierra, no quería perder el privilegio de permanecer al lado de Jesús, el Verbo encarnado de Dios.

Así fue que regresó nuevamente al cuerpo y salió fuera de su tumba. Cuando Lázaro abrió sus ojos, su cuerpo estaba vendado. Jesús lo miró y les dijo a los discípulos que lo desataran y lo dejaran ir.

Jesús tenía que ser muy específico en cada una de sus palabras porque, al ser expresadas por sus labios, activaban legiones de ángeles, que harían exactamente lo que Él había declarado. Jesús dijo: «De cierto, de cierto os digo: Viene la hora, y ahora es, cuando los muertos oirán la voz del Hijo de Dios; y los que la oyeren vivirán. No os maravilléis de esto; porque vendrá hora cuando todos los que están en los sepulcros oirán su voz» (Juan 5:25, 28). Si Jesús no hubiese sido específico al mencionar a Lázaro por su nombre, posiblemente ese día habría sido el día de la resurrección de entre los muertos.

DI LA PALABRA Y EL MILAGRO OCURRIRÁ

Hubo un hombre que sorprendió al Señor por la clase de fe que tenía, era un centurión cuyo siervo estaba postrado en cama con una terrible enfermedad. Pero él no rogó por la presencia de Jesús en su casa para que el milagro ocurriera, sino que le dijo: «Envía tu palabra y mi siervo sanará». La razón por la cual este hombre pudo realizar tal sugerencia era porque estaba basada en una simple analogía:

Yo soy hombre de autoridad y sé obedecer órdenes; pero también tengo gente que está bajo mi autoridad, y ellos obedecen mis órdenes. «Jesús, lo que Tú digas ocurrirá porque no hay otro ser en todo el universo que tenga más autoridad que la que Tú tienes. Y todo lo que Tú digas sucederá exactamente como Tú lo has dicho» (Mateo 8:5-13).

El Señor tomó como ejemplo la fe de este hombre, y enfatizó que en todo Israel no había hallado a alguien con la misma fe. Este centurión vio en Jesús más que una persona, él vio al Verbo eterno de Dios. Jesús es el Verbo de Dios vestido de un cuerpo humano. Si creemos en su Palabra, estamos creyendo en Jesús. Todo aquel que es oveja de Jesús, oye su voz y le sigue. Y Él les da vida eterna.

Cuando leemos la Biblia, tenemos la palabra de Dios, pero hay un momento en que sentimos que el mensaje que estamos leyendo es la palabra específica de Dios para nuestra vida. Esto trae una gran convicción en nuestro corazón, y tenemos la plena certeza de que el milagro que esperamos ya sucedió.

Uno de los aspectos más importantes en la vida del creyente es creer a la voz de Dios. Trate de captar en su mente el cuadro de lo sucedido: El centurión era un militar del ejército romano que tenía a su cargo cien soldados. Aunque era un hombre respetado, con honores y dignidades, tenía un corazón compasivo y amaba a su siervo que estaba enfermo, a punto de morir. Cada orden que él daba a sus subalternos era obedecida sin ningún cuestionamiento. Ellos simplemente acataban las órdenes. Mas cuando se encontró ante la enfermedad, aunque le hablara, ésta no se le sometería. Cuando vio que los demonios y las enfermedades se sometían a todo lo que Jesús decía, él entendió que en Jesús encontraría su respuesta.

TENGA ARGUMENTOS A FAVOR

Los ancianos de los judíos buscaron a Jesús y le dijeron: «Es digno que le concedas esto, porque él ama a nuestra nación y nos ha edificado una sinagoga». Cada uno de estos antecedentes se había convertido en argumentos a su favor. Estos dos argumentos que favorecieron al centurión siguen siendo iguales de poderosos en el día de hoy: Amar a la nación de Israel y edificar el reino de Dios. ¿Ama usted al pueblo de Israel? ¿Ora por la paz de Jerusalén? Este sería un buen argumento a su favor. Porque está escrito: «Benditos serán los que te bendigan». Dios está muy pendiente de cada palabra que sale de sus labios hacia su Pueblo. ¿Está usted comprometido cien por ciento con Dios y con su obra? ¿Se está esforzando por que el reino de Dios sea establecido en este tiempo?

Uno de los pastores que ha trabajado a nuestro lado por años, un día, mientras conducía su vehículo, sintió que unas manos extrañas tomaban control de la dirección del automóvil. Esa tarde sufrió un accidente terrible. Sintió como si la cabeza se le hubiera desprendido del tronco. Casualmente, esa noche yo iba a predicar donde él estaba desarrollando su ministerio. Angustiada por el mal momento, la esposa me comentó acerca de la deteriorada salud de su esposo y que, en verdad, ella no sabía si quedaría paralítico. Aquel día tenía la plena certeza de que había argumentos a favor de este hombre por todo lo que él había sembrado para la obra. En ese momento, el Espíritu Santo me dijo: «A las dos de la mañana comenzará su sanidad». Su esposa llegó a la clínica y le dio la noticia: «A las dos de la mañana empezará tu sanidad». Esa noche, ambos estuvieron todo el tiempo pendientes del reloj. Cuando llegó la hora que el Espíritu indicó, sintió el toque de Dios en su cuerpo. Su presencia gloriosa inundaba la habitación. Al día siguiente, cuando fui a visitarlo, el nivel de fe de este hombre ya había aumentado. Inmediatamente impuse mis manos sobre él. En ese momento, se levantó como un resorte de la cama y quedó completamente curado por el poder de Jesucristo.

ATRÉVASE A HABLAR CON FE

Dios nos dio a cada uno una medida de fe que se convierte en la llave para conquistar aquellas cosas que en lo natural serían imposibles de alcanzar. Pablo dijo: «Conforme a la medida de fe que Dios repartió a cada uno». Posiblemente usted pensaba que no tenía fe, pero Dios le dotó de cierta capacidad para creer. La única manera de hacer que la fe aumente dentro de nuestros corazones es por el contacto que tengamos con la Palabra de Dios. Los grandes hombres de fe posiblemente ni siquiera se habían percatado de que tuvieran una fe grande, pues la única preocupación de ellos era agradar a Dios en todo lo que hacían. Y cuando se encontraban en situaciones apremiantes, simplemente ejercían la fe.

Cuando Josué estaba conquistando a los amorreos, se encontró ante una situación que le impedía lograr su objetivo: el día ya estaba declinando y la noche se convertiría en un gran aliado de sus adversarios. Pero, en un acto osado de fe: «Josué habló a Jehová el día en que Jehová entregó al amorreo delante de los hijos de Israel, y dijo en presencia de los israelitas: Sol, detente en Gabaón; y tú, luna, en el valle de Ajalón. Y el sol se detuvo y la luna se paró, hasta que la gente se hubo vengado de sus enemigos» (Josué 10:12-13). ¿Qué fue lo que le dio tanto coraje a Josué para pronunciar semejante oración? La misma palabra que él había recibido de parte de Dios: Nadie te podrá hacer frente en todos los días de tu vida; como estuve con Moisés estaré contigo; no te dejaré ni te desampararé. Esa palabra dada por el mismo Dios era algo que ardía como un fuego dentro de su corazón, y él sentía que las oportunidades de conquista se debían aprovechar hasta el máximo. Por esta razón, habló en presencia de Dios para que su mano se moviera para obtener el milagro. Y no hizo una oración tímida ni a escondidas, todo Israel le escuchó. Su enérgica voz fue escuchada en el cielo; y por causa de la oración de este hombre, el curso normal del día fue alterado. Este vino a ser el día más largo de la historia, pues el sol no se ocultó hasta que el ejército de Josué hubo dado muerte a todos sus adversarios.

EL MILAGRO DEBE NACER PRIMERO EN NOSOTROS

Cuando el Señor me dio la palabra: «Sueña con una iglesia muy grande porque la iglesia que tú pastorearás será tan numerosa como las estrellas del cielo y como la arena del mar, que de multitud, no se podrá contar», ya en mí corazón ardían las multitudes y sabía que las pocas ovejas que tenía se convertirían en multitudes incontables. Para aquel entonces, le compartí mi meta a un pastor amigo: «Tendré una iglesia de tres mil personas». Él, por poco suelta la risa y, con una expresión burlona, me dijo: «Grande es tu fe». Pero, a los pocos años ya había logrado mi meta, aunque dentro de mí sabía que no podía conformarme porque lo que Dios me había hablado aun no se había cumplido. Tenía que proyectarme en otro desafío. Cuando llegamos a los diez mil miembros, un pastor de la ciudad me dijo: «¿No sería bueno que te dedicaras a cuidar aquellas personas que tienes en lugar de estar pensando tanto en el ganar más y más gente? Mi respuesta fue firme: «Mientras en esta ciudad hay siete millones de personas que no conocen a Jesús, ¿cómo me podré quedar satisfecho con lo que he logrado? No descansaré hasta ver a mi ciudad y a mi nación rendidas a los pies de Jesucristo».

EL PODER DE LA PALABRA PROFÉTICA

Dios tiene una manera muy particular para sorprender a sus hijos. Esto fue lo que sucedió con el profeta Ezequiel cuando el Señor lo llevó a un amplio valle lleno de huesos secos, los cuales estaban dispersos por todo el campo. La pregunta que le hace el Señor es: «¿Vivirán estos huesos?». A lo que el profeta respondió: «Señor Jehová, tú lo sabes» (Ezequiel 37:3).

Qué bueno es saber que nuestro Dios nunca cambia, y que Él tiene que confrontarnos con nuestra situación. Nos lleva a mirarla cara a cara para que, a través de la fe y la palabra de autoridad, transformemos las circunstancias.

Nuestro gran desafío es ver nuestras naciones transformadas por el poder de Jesús. Mas la respuesta está en nuestra boca. «Me dijo entonces: Profetiza sobre estos huesos, y diles: Huesos secos, oíd palabra de Jehová» (vs. 4). Pablo dijo: «¿Cómo, pues, invocarán a aquel en el cual no han creído? ¿Y cómo creerán en aquel de quién no han oído? ¿Y cómo oirán sin haber quién les predique? ¿Y cómo predicarán si no fueren enviados?» (Romanos 10:14, 15).

Lo único que puede traer vida a cualquier nación es la predicación de la Palabra de Dios, pero debe ser una predicación estratégica. Y sé que la mejor estrategia es a través de las células, donde se puede desarrollar un trabajo personalizado, brindando ayuda a cada persona que el Señor ponga bajo nuestro cuidado.

DEBEMOS PREPARAR EL AMBIENTE PARA LA CONQUISTA

A los pocos años de haber comenzado la iglesia, vino una gran carga de oración por la redención de nuestra nación a nivel de toda la iglesia. Esto nos llevó a implorar el favor de Dios en ayuno y oración. Como congregación, tuvimos siete periodos de ayuno, de tres días de duración cada uno, por un lapso de cinco años, hasta que sentimos que los cielos se abrieron y la bendición de Dios empezó a descender a nuestra ciudad y a nuestra nación. La gente no cristiana comenzó a simpatizar con los cristianos, empezamos a ganar respeto y credibilidad dentro de la sociedad. El porcentaje de cristianismo empezó a crecer aceleradamente en toda la nación. A pesar de la crisis social que vivía el país, el evangelio seguía multiplicándose más y más. Hoy en día, el evangelio se predica en casas, en empresas, en universidades y hasta en los parques. La predicación del evangelio nos ayudó a poder levantar todo un ejército de hombres, mujeres y jóvenes que, como valientes guerreros, están firmes en plena avanzada, proclamando que Jesús es el Señor, para la gloria del Dios Padre.

RECLAME SUS DERECHOS LEGALES

El profeta Ezequiel recibió el derecho legal de parte de Dios para reclamar la restauración de su pueblo. Cuando usted cree y se impregna de fe, puede moverse en la esfera de lo sobrenatural. Esto trae una renovación total a su mente, que producirá cambios trascendentales en su vida y en el concepto que usted tenga de las cosas. Podrá verlas con los ojos de Dios, y no con sus ojos naturales. Podrá tener las visiones dadas por el Espíritu de Dios y no por su propia imaginación. Hablará la Palabra de Dios y no sus propias palabras. Llegará a ser un espectador de todo lo que Dios hace. Le será muy fácil ver milagro tras milagro.

Dios dijo: «Pídeme, y te daré por herencia las naciones, y como posesión tuya los confines de la tierra» (Salmos 2:8). Dios, dentro de la fe que ha concedido a cada uno de sus hijos, dejó estipulado los derechos legales, que son los decretos establecidos por Él para proteger y bendecir a sus hijos. Cuando logremos entender esto, podremos pasar de ser personas fracasadas a convertirnos en gente de éxito. Usted logrará ver el milagro de la transformación de su comunidad porque toda esterilidad huirá, y vendrán las multitudes.

DIOS NOS QUIERE ENSEÑAR A HABLAR PROFÉTICAMENTE

Dios, al igual que un padre amoroso con su hijo, fue instruyendo al profeta para que éste pudiera actuar en un nivel de autoridad que antes desconocía. Lo llevó a profetizar por etapas, hasta ver que esos huesos eran transformados en un gran ejército que se ponía de pie, y estaban firmes y listos para la conquista.

Es importante resaltar la obediencia inmediata del profeta. Él dijo: «Profeticé, pues, como me fue mandado; y hubo un ruido mientras yo profetizaba, y he aquí un temblor; y los huesos se juntaron cada hueso con su hueso. Y miré, y he aquí tendones sobre ellos, y la carne subió, y la piel cubrió por encima de ellos; pero no había en ellos espíritu» (Ezequiel 37:7, 8).

Todo lo que estaba viviendo el profeta era en el espíritu. Dios había tomado el espíritu del profeta y había abierto el mundo espiritual para que le fuera revelada la condición actual de su pueblo, así como el modo en que la palabra profética podría cambiar el curso de la historia de su nación. La mortandad espiritual sería absorbida por la vida, y la nación experimentaría un gran avivamiento.

Aunque esta profecía fue dirigida primordialmente al pueblo de Israel, no obstante, es una enseñanza para nosotros como siervos de Dios: Que podamos entrar en el mundo de la fe y recibir las visiones de Dios; que podamos, a través de las mismas, ver el milagro del renacer de la fe en nuestra gente. Cuando la palabra profética es confesada, se activa el Reino de Dios y el ejército angelical entra a trabajar en base a lo que se ha decretado proféticamente.

Capítulo 5

ENTRÉNELOS EN LA GUERRA ESPIRITUAL

«Porque no tenemos lucha contra sangre y carne, sino contra principados, contra potestades, contra los gobernadores de las tinieblas de este siglo, contra huestes espirituales de maldad en las regiones celestes». Efesios 6:12

EL GRAN PRECIO PAGADO

Aquella mañana del 11 de Septiembre, el mundo entero quedó paralizado. No salía de su asombro al ver cómo dos de los monumentos más imponentes de Nueva York eran desplomados como si fueran una casa de naipes, por causa de un demencial ataque terrorista.

Hace 2000 años, el cielo quedó horrorizado al ver cómo el Hijo de Dios, Jesucristo, era juzgado y condenado a la más horrenda muerte, la de la Cruz . Pero esta muerte de Jesús se transformó en la gran redención de la raza humana. Cada adversidad tiene un propósito en sí, el propósito de la bendición. La sangre de Jesús derramada en la Cruz del calvario se transformó en el precio pagado por Dios para el rescate de la humanidad. Fue el único camino por medio del cual se podía rescatar a los hombres de la esclavitud y opresión del adversario. Y tengo la plena certeza que la sangre de los miles que murieron en ese siniestro del 11 de Septiembre del 2001 fue el precio para que los Estados Unidos vuelva sus ojos a Jesucristo, para que nazca la luz de la esperanza, para que entiendan que no todo en esta vida es comprar y vender, casarse, separarse y volverse a casar, o que existimos sólo para la satisfacción del cuerpo. Debemos vivir para comprender que dentro nuestro hay un alma, y que de nada sirve tener nuestro cuerpo en buen estado, hermosas casas, ni lujosos autos, si nuestra alma está seca. Lo único que podrá hacer reverdecer el alma del ser humano es la bendita Palabra de Dios.

Jesús dijo: *«Las palabras que yo os he hablado son espíritu y son vida» (Juan 6:63).* Solamente a través de la Palabra de Dios se desata el espíritu de vida.

¿QUIÉN ES NUESTRO ENEMIGO?

Nuestro enemigo es un ser espiritual creado por Dios. Era quien dirigía la alabanza en el reino celestial, además de gozar de respeto por su autoridad y su vida de santidad. Fue el primer ser que dio en su corazón lugar al orgullo y, en su altivez, quiso derrocar a Dios para así poder tener un control despiadado sobre todo. Su mayor frustración fue el no poder hacerlo, perdiendo en el intento todos sus privilegios y siendo expulsado del reino celestial. Por esto, se convirtió en un enemigo oculto de la obra de Dios. Fue el primero en llegar al huerto del Edén, donde logró seducir a la mujer para que ésta desobedeciera el mandato divino. Por causa de ello, el Señor decretó guerra permanente entre Satanás y la mujer, advirtiéndole que su simiente le aplastaría la cabeza, y él le magullaría el calcañar *(Génesis 3:15)*. Su propósito primordial es quitar a Dios del corazón del hombre, y bloquear su mente para que el mensaje de salvación no sea predicado en la humanidad. Pablo dijo: *«Si nuestro evangelio está aún encubierto, entre los que se pierden está encubierto; en los cuales el dios de este siglo cegó el entendimiento de los incrédulos, para que no les resplandezca la luz del evangelio de la gloria de Cristo, el cual es la imagen de Dios» (2 Corintios 4:3-4).*

Nuestro enemigo vive acechando las calles, las esquinas; está en diferentes lugares, y muchos viven desprevenidos de él sin querer tomar medidas de precaución. El Señor lo identificó como el príncipe de la potestad del aire. Es un espíritu maligno que está organizado. Tiene sus rangos jerárquicos divididos en: principados, potestades, gobernadores y huestes de maldad. Constantemente vigilan cada calle, ciudad y nación. Cuando sienten que el avivamiento y el despertar espiritual están penetrando una nación, envían los espíritus territoriales más fuertes para tratar de detener el auge espiritual.

Debemos reconocer que estamos en una guerra abierta contra el infierno. El mal puede llegar a través de un mal amigo, de una mala mujer, tanto como por imágenes impuras que usted acepte en su mente. Esta es la razón por la cual la Biblia advierte acerca de las amistades, de la mujer extraña y de la importancia de cuidar nuestros ojos, nuestras manos, nuestros pies, así como de tomar control sobre nuestras palabras.

Tenemos que ser conscientes de que estamos en un campo de batalla. El blanco del enemigo son los cristianos, porque al resto de las personas ya las tiene aseguradas.

¿CÓMO ACTÚA?

Logró imponer el imperio del terror, y se caracteriza por ser
- Astuto (Génesis 3:1)
- Mentiroso (Génesis 3:1-5)
- Vengativo (Salmos 8:2)
- Destructor (Isaías 54:16)
- Tentador (Mateo 4:7)
- Acusador (Apocalipsis 12:10)
- Príncipe de los demonios (Mateo 12:24)
- Homicida (Juan 8:44)
- Padre de mentira (Juan 8:44)
- Dios de este siglo (2 Corintios 4:4)
- Príncipe de la potestad del aire (Efesios 2:2)
- El dragón (Apocalipsis 12:7-9)
- León rugiente (1 Pedro 5:8)
- Y por disfrazarse de ángel de luz (2 Corintios 11:14)

SU PROPÓSITO

El objetivo del adversario es que los hijos de Dios dejen la senda y continúen por el camino del pecado. El Señor Jesús dijo: «...todo reino dividido contra sí mismo, es asolado, y toda ciudad o casa dividida contra sí misma, no permanecerá» (Mateo 12:25).

Maquiavelo dijo: «Divide y reinarás». La meta de Satanás es dividir familias, separar hogares, y así tener el control sobre las personas. Santiago dijo: «¿De dónde vienen las guerras y los pleitos entre vosotros? ¿No es de vuestras pasiones, las cuales combaten en vuestros miembros?». Las pasiones que producen odio y llevan a las personas a las guerras son alimentadas por ese enemigo oculto que se complace viendo cómo se destruyen unos a otros.

¿QUIÉN LO ENFRENTARÍA?

El velo será quitado de las mentes de los creyentes cuando podamos entender la victoria alcanzada por Jesús en la Cruz del calvario, donde el adversario fue vencido y despojado de todo su poder y autoridad. Toda la humanidad había estado cautiva por el engaño de Satanás, y estaba sufriendo los efectos de su implacable e inmisericorde opresión. No había manera de que el yugo fuera quitado de su cerviz, pues ningún ser humano podía enfrentarse ante un ser que los superaba en fuerza y en astucia. Cada vez que el enemigo sentía que se estaba levantando alguien que pudiera significar una amenaza para su reino, se alzaba con todas sus fuerzas contra él. Cuando nació Moisés, su trono se estremeció. Entonces, envió a exterminar a todos los niños varones israelíes. Algo similar sucedió con el rey Herodes cuando recibió la noticia de que había nacido en Belén el rey de los Judíos. Satanás creía que era el dueño de toda la tierra, y mantenía un sistema de vigilancia muy poderoso pues no quería dejar en libertad ni a una sola persona. Sobre su mente retumbaban las palabras que Dios le había dicho en el huerto: «*De la mujer nacerá uno que te aplastará la cabeza y tú le magullarás el talón*» (*Génesis 3:15*).

Cuando Jesús se bautiza para dar inicio a su ministerio, el Espíritu lo impulsa a ir al desierto para ser tentado por el diablo. Después de cuarenta días de ayuno, vino a Él el tentador, quien lo atacó usando sus armas más poderosas. Pero, en su propio terreno, empezó a ser derrotado.

Durante el ministerio terrenal de Jesús, todas las tácticas empleadas por el adversario contra Él habían sido en vano. Hasta que decidió usar la más poderosa: la muerte. Sedujo el corazón de Judas para que lo traicionara y controló la envidia de los líderes religiosos para que, con el respaldo del pueblo y la aprobación de los romanos, lo condenaran a muerte, y que esta muerte fuera la peor de todas, la muerte de Cruz. Creo que nunca pasó por la mente del adversario que la muerte de Jesús se convirtiera en el cumplimiento de las profecías bíblicas y fuera, a la vez, su propia destrucción. Dios, en su sabiduría, había establecido que toda la maldición que había venido sobre la raza humana fuese puesta sobre el cuerpo de Jesús, para ser destruída en la Cruz.

LA CRUZ PUERTA DE RECONCILIACIÓN

Si le preguntamos a un judío: «¿Qué concepto tienes tú de la cruz?», él nos va a decir: «Es un lugar de maldición. Ahí es donde morían los delincuentes más peligrosos de la nación».

Cuando la primera pareja pecó, ellos estaban en el huerto del Edén. En este huerto había dos árboles que más sobresalían: el árbol de la vida y el árbol del conocimiento de lo bueno y de lo malo. Si el hombre tomaba del fruto del árbol de la vida, viviría para siempre. Sería como los ángeles, que no morirían. Pero si el hombre tomaba del fruto del conocimiento de lo bueno y de lo malo, sería la muerte tanto física como espiritual. El hombre escogió el árbol prohibido, comió de su fruto y, por causa de esto, Dios lo sacó del paraíso. Adán y Eva perdieron todos sus privilegios; abrieron los ojos a una realidad muy distinta de la que habían percibido hasta ese entonces; se vieron forzados a conocer la aflicción, la enfermedad, el dolor, la pobreza, la ruina, la soledad. Tuvieron que sufrir los efectos de sus propios pecados. Ahora, Dios tendría que establecer otro árbol. Este árbol sería diferente; tendría dos palos, un palo vertical que mirara a Dios y un palo horizontal que mirara las necesidades de la gente. Ese árbol es el árbol de la Cruz. El hombre, por tomar del fruto del árbol equivocado, quedó fuera del paraíso, y Dios tuvo que usar otro árbol para que todo aquel que comiera de su fruto pudiera restaurar su relación con Dios y recibir todos los beneficios que el hombre, por su pecado, había perdido.

¿QUÉ SIGNIFICA LA CRUZ?

Para Pablo, la Cruz era el lugar donde el mundo había sido crucificado para él, y él para el mundo (Gálatas 6:14). Jesús nunca conoció pecado, pero en la Cruz, Él empezó a absorber las maldiciones de toda la gente. Se convirtió Jesús en una especie de imán que atraía las maldiciones de las personas. Maldiciones generacionales empezaron a ser atraídas a este lugar de la Cruz. Al profeta Isaías, Dios le dio un entendimiento tan claro sobre la obra redentora como a pocos profetas en la antigüedad. Isaías escribió: «¿Quién a creído a nuestro anuncio? ¿y sobre quién se ha manifestado el brazo de Jehová?» (Isaías 53:1). Y en el resto del capítulo da una descripción de lo que fue la redención, cuyo cumplimiento sucedió unos setecientos años después.

Jesús tomó nuestro lugar y sufrió nuestro castigo. Pablo dijo: «Cristo nos redimió de la maldición de la ley, hecho por nosotros maldición (porque está escrito: Maldito todo el que es colgado en un madero)» (Gálatas 3:13).

Uno de los hombres que moría crucificado al lado de Jesús creyó en Él y le dijo: «Señor, acuérdate de mí cuando estés en tu reino». ¿Jesús le contestó: «La salvación viene dentro de mil años»? ¡No! Le dijo: «Hoy pasarás y estarás conmigo en el paraíso». En el mismo día en que tú entregas toda tu vida a Jesús, pasas de la maldición al paraíso de la bendición.

LA CRUZ ANULA EL ACTA DE DECRETOS

Por causa del pecado se habían establecido argumentos en nuestra contra en el mundo espiritual. Un argumento es un derecho legal contra nosotros.

¿Cómo se forman los argumentos? Estos pueden venir por maldiciones que se heredan de la familia, o por palabras proferidas por los padres en nuestra contra, ya sea en un momento de ira, o dichas en broma, o por querer imponer su autoridad, etc. También se establecen por pecados que hayamos cometido, por palabras que hayamos dicho y por pensamientos que hayamos aceptado.

Estaba dando una enseñanza al liderazgo sobre este tema, y luego tuvimos un tiempo de oración y ministración. Cuando el ambiente estaba impregnado de la presencia de Dios, mis ojos espirituales se abrieron y tuve la visión de la Cruz. Jesús estaba crucificado, y alrededor de la Cruz, los demonios se movían llevando en sus manos los argumentos; mientras las personas se estaban arrepintiendo y renunciando a las maldiciones que habían venido por sus pecados y por los de sus antepasados. Inmediatamente, todos estos argumentos eran quitados de las manos de los demonios y clavados en la Cruz. Los demonios trataban de jalar de nuevo los argumentos, pero mientras estaban en ese intento, venía fuego sobre todos esos decretos y los demonios desaparecían. Mientras estaba contemplando esta visión, todas las personas que estaban en el auditorio estaban llorando y experimentando que muchas cadenas eran rotas en sus vidas.

«Y despojando a los principados y a las potestades, los exhibió públicamente, triunfando sobre ellos en la cruz» (Colosenses 2:15).

«¿Dónde está, oh muerte, tu aguijón? ¿Dónde, oh sepulcro, tu victoria? Mas gracias sean dadas a Dios, que nos da la victoria por medio de nuestro Señor Jesucristo» (1 Corintios 15:55, 57).

QUEBRANTANDO LA OPRESIÓN

El día que Jesús estaba muriendo, los cielos se oscurecieron y toda la tierra quedó en tinieblas. Ese era el momento en que los demonios hacían fiesta pensando que, con la muerte de Jesús, mantendrían el control de la humanidad. Esa nube de oscuridad representaba que los demonios habían salido de sus encierros y se habían juntado a celebrar. Mas ellos no contaban con que todo eso se les vendría en su contra pues, en el momento en que Jesús muriera, la Cruz (cruz) se convertiría en una especie de imán que absorbería todos los poderes demoníacos, como si fueran pequeños alfileres. La muerte de Jesús en la Cruz era la manera como el enemigo estaba magullando el talón de la mujer, pues el talón es la parte débil del hombre, y los hijos son como el talón o la parte débil de la mujer. Y para mitigar el dolor de su madre, Jesús le deja a Juan como sustituto. Pero al dar Jesús su último suspiro, el cielo se estremeció, la tierra tembló y todos los poderes demoníacos fueron doblegados.

«La tierra fue conmovida y tembló; se conmovieron los cimientos de los montes, y se estremecieron, porque se indignó él. Tronó en los cielos Jehová, y el Altísimo dio su voz; granizo y carbones de fuego. Envió sus saetas, y los dispersó; lanzó relámpagos, y los destruyó» (Salmos 18:7, 13-14).

El Salmo 149:5 y 6 dice: «Regocíjense los santos por su gloria, y canten aun sobre sus camas. Exalten a Dios con sus gargantas, y espadas de dos filos en sus manos». La espada de dos filos es la Palabra para ejecutar venganza entre las naciones y castigo entre los pueblos, para aprisionar a los reyes con grillos y a los nobles con cadenas de hierro. Estos reyes son los principados demoníacos de maldad que Jesús ya venció y que operan en los aires, procurando engañar a los incautos.

En los proverbios de Agur, él dijo: «*Tres cosas hay que nunca se sacian; aun la cuarta nunca dice: ¡Basta! El Seol, la matriz estéril, la tierra que no se sacia de aguas, y el fuego que jamás dice: ¡Basta!*» *(Proverbios 30:15-16).* El Seol es el infierno, y éste nunca está satisfecho. Los demonios provienen del Seol, y ellos tampoco nunca están satisfechos, razón por la cual todo deseo no controlado en las vidas de las personas, que produce esclavitud o total dependencia, es una obra demoníaca. Y si las personas no son libres de sus opresiones, ese deseo irá en aumento hasta destruirlas.

VIDA DE INTEGRIDAD

Jesús cumplió su misión de traer la redención a la humanidad, pero ésta tiene que ser complementada con una rendición total de nuestra vida a Él. Esto nos daría el derecho de convertirnos en hijos de Dios y participar de su naturaleza divina, pero nuestra vida debe estar distanciada de la corrupción de este mundo (2 Pedro 1:4). «O haced el árbol bueno, y su fruto bueno, o haced el árbol malo, y su fruto malo; porque por el fruto se conoce el árbol» (Mateo 12:33). En otras palabras, el compromiso de servir a Jesús es una decisión que cada cual debe tomar. Y si ha tomado la decisión de servir a Dios, entonces póngase al nivel de su compromiso.

AYUDANDO A LA GENTE A SER LIBRE

Ayudar a la gente a que sea libre de sus cargas fue lo que nos impulsó a pasar largas horas de ministración con ellos día a día, cuando recién habíamos comenzado el ministerio. Tanto mi esposa como yo habíamos recibido para ese entonces liberación, y comprendimos que no había otra forma para que la gente diera fruto sino a través de la liberación. Milagros extraordinarios comienzan a ser operados por el poder de Dios, las personas deciden comprometerse firmemente con el Señor y la iglesia empieza a experimentar vida, deseando con gran anhelo que lleguen los días de reunión para poder participar.

Por diferentes lugares empezó a correr el rumor acerca de que había una iglesia donde las personas eran liberadas de la opresión demoníaca. Era tan grande la necesidad que había en aquellas vidas que me entregué de lleno a ministrarles liberación. Dedicaba días y semanas enteras para ministrar a toda clase de personas. Transcurrido un tiempo, comencé a notar un cansancio físico tremendo y dije: «Este trabajo no lo debo realizar solo», y empecé a formar un equipo. Dejé sólo un día en la semana para ministrar liberación. Pero luego, el Señor nos hizo ver que para lograr mayores resultados, ellos deberían ir a un encuentro. Y fue así que comenzamos a ministrarles en los encuentros, y Dios alivió la carga, ya que tenía todo un ejército de gente que suplía la necesidad de las personas semana tras semana. Si logramos que cada persona entienda que en la Cruz del calvario el Señor Jesús derrotó completamente a los demonios, y que nos dio la autoridad de reprenderlos en su Nombre, veremos muchas vidas transformadas por el poder de Jesucristo.

PASOS PARA MINISTRAR LIBERACIÓN

1. *Ate al hombre fuerte (Mateo 12:29).* Dios le dio toda la autoridad para atar al adversario en el nombre de Jesús. Y ese hombre fuerte, Satanás, tiene que respetar su palabra de autoridad porque, al pronunciar el Nombre de Jesús, el mismo Jesús se hace presente, y hará justo todo lo que usted confiese. Cuando ate al adversario, trate de ver en su mente que un ángel del Señor viene con una cadena y lo ata, y lo reprende, quitándolo de en medio y lanzándolo a lo profundo de la mar. Recuerde que lo que atemos en la tierra quedará atado también en los cielos.

2. *Resista con firmeza a Satanás (Santiago 4:7).* Dios ha preparado su vida para la guerra, y aunque el adversario es un enemigo derrotado, él tratará de resistirle para que usted piense que no tiene poder. Todo lo que Jesús conquistó fue en el mundo espiritual, y las personas de fe son las que pueden comprender y hacer valer sus derechos. Si usted logra mantenerse en un sometimiento pleno a Dios, le será fácil resistir a los engaños del adversario, y éste huirá de su vida, de su casa, de sus finanzas y de su ministerio.

3. *Sea un experto en el manejo de las armas espirituales (Efesios 6:17).* Dentro de las armas que el Señor nos dio a nosotros, sus guerreros, están las armas de defensa y las de ataque. Un arma poderosa de ataque es la confesión de la Palabra. Recuerde la manera como Jesús venció al enemigo, confesando la Palabra.

4. *Declare que la maldición fue quebrantada en la Cruz (Gálatas 3:13).* La Cruz es la derrota total de los demonios. Cuando se deja de predicar sobre la Cruz, la maldición empieza a fortalecerse. Todas las maldiciones que mencionó Moisés que vendrían por la desobediencia de la Palabra (Deuteronomio 28:15), fueron conquistadas en la Cruz.

5. *Confesar la victoria por su Sangre (Apocalipsis 12:11).* La Sangre de Cristo es una poderosa muralla de protección para nosotros y nuestros seres queridos. El espíritu de la muerte no se atrevió a entrar en las casas que estaban protegidas por la sangre de los animales, en ocasión de la liberación del pueblo de Israel en Egipto. Si la sangre de estos animales tuvo poder protector, cuánto más la Sangre de nuestro Señor Jesucristo.

Capítulo 6

AYÚDELOS A QUE TRABAJEN EN SOCIEDAD CON EL ESPÍRITU SANTO

»Porque ha parecido bien al Espíritu Santo, y a nosotros».
Hechos 15:28

Cuando el profeta Isaías tiene la gran revelación de la gloria divina, donde puede contemplar la majestad de Dios, ve a los serafines que con dos de sus alas cubren sus rostros, con dos cubren sus pies y con dos vuelan. Luego, Isaías siente la convicción de pecado, hace confesión y el Señor le habla diciendo: «¿A quién enviaré, y quién irá por nosotros?» (Isaías 6:8).

Esas mismas palabras dichas setecientos años antes de Cristo hacen eco hasta nuestros días: ¿A quién enviaré? ¿A quién le podré confiar la obra del ministerio? Dios es Espíritu, y para llevar a cabo su obra, siempre busca contar con el apoyo del hombre. Él está buscando a aquellos que se dispongan a creer en Él y a dejarse guiar en plenitud por su Espíritu.

¿A quién enviaré? Dios está buscando personas de integridad, de fidelidad, que tengan un hogar estable, que no le den la espalda a la mitad del camino, que tampoco se avergüencen de su testimonio. Dios está buscando alguien en quien confiar.

¿A quién enviaré, y quién irá por nosotros? A esta pregunta, el profeta contestó: «Heme aquí, envíame a mí».

Hoy, Dios también está buscando hombres que, al igual que Isaías, digan: «Heme aquí, envíame a mí». Todavía está esperando una respuesta. Necesita personas que estén dispuestas a rendir la totalidad de sus vidas a la dirección del Espíritu Santo.

SIENDO GUIADOS POR EL ESPÍRITU DE DIOS

Cuando el Señor le dijo a Abraham: «Sal de tu tierra y de tu parentela, y ve a la tierra que yo te mostraré...» (Génesis 12:1), le dio directrices con las cuales Abraham estaba entrando en una dependencia total de Dios y por las que debía mantenerse en un alto nivel de fe para poder obedecer todo lo que el Señor le dijera. Sabemos que Dios quiere relacionarse con cada uno de sus hijos pero, ¿cuántos se han preparado para oír a Dios? Desde el mismo día de mi conversión tuve la plena certeza de que era llamado al ministerio. Desde entonces, he aprendido a oír la voz de Dios, que me ha estado dirigiendo en cada uno de los pasos que he dado. Aunque no conocía ninguna iglesia cristiana, por su dirección fui guiado a una. Luego comencé mi preparación para servir mejor al Señor. Continuamente sentía la carga por los perdidos, y esto me hacía esforzar para llegar a ellos con el evangelio. Aunque durante los primeros nueve años estuve activo en diferentes áreas del ministerio, dediqué la mayor parte del tiempo en pastorear iglesias pequeñas. Luego comprendí que toda esta etapa, Dios la estaba usando como un proceso de entrenamiento, para poder entrar de lleno en el ministerio que Él tenía preparado de antemano para mí. Después de que Dios reveló su propósito para mi vida, me dio las directrices para conocer la manera de desarrollarlo, y me esforcé por actuar de acuerdo a la guía divina. Todo esto fue un renovar la mente pues, cuando estamos acostumbrados a hacer las cosas a nuestra manera, sentimos cierta seguridad en lo que realizamos, mas cuando uno debe esperar la orden de Dios, tenemos la tendencia a desesperar, porque muchas veces su palabra no viene cuando nosotros lo deseamos sino cuando Dios sabe que es el tiempo correcto. Lograr hacer las cosas a la manera de Dios implica revestirnos de paciencia.

DEBEMOS CONCENTRARNOS EN EL DESARROLLO DE LA VISIÓN

Durante los primeros diez años de ministerio no me interesaba viajar porque anhelaba formar esa hija que había nacido, la iglesia, y así poder tener un ministerio sólido. Creí que esto era lo correcto antes de pensar en ganar las naciones para Cristo.

Cuando en el año de 1990 viajamos con mi esposa por primera vez a Seúl, Corea, a conocer la iglesia del pastor Cho, nunca imaginamos el impacto que esto tendría sobre nuestras vidas.

Para ese entonces, solamente teníamos unos tres mil miembros, y contábamos con unas setenta células. Me sentía orgulloso del ministerio, pensaba que tenía ya una gran iglesia y estaba muy satisfecho. Cuando me encontré en la iglesia del pastor Cho, le dije a Dios: «Señor, tú me trajiste aquí para avergonzarme. Me siento humillado delante de ti, siento que no he hecho mayor cosa para tu reino». En ese viaje, algo sucedió dentro de nosotros. Se rompieron muchos esquemas en nuestras mentes y pudimos creerle a Dios pues, si con el pastor Cho había funcionado, con nosotros también sucedería. Regresamos de ese viaje completamente desafiados por un mayor crecimiento. Aunque el tiempo que compartimos con el pastor no duró ni dos minutos, el solo hecho de estar allá nos sirvió para ver la fe de un hombre que se atrevió a creerle a Dios, lanzándose a conquistar, rompiendo todos los esquemas tradicionales de crecimiento de la iglesia. Por ese motivo, su ministerio ha venido a ser innovador, y logró sentar un fundamento de que la iglesia celular es el propósito de Dios para estos tiempos finales.

TENIENDO UNA RELACIÓN ESTRECHA CON EL ESPÍRITU SANTO

Una de las áreas más difíciles dentro del ministerio es aprender a tener una relación íntima con el Espíritu Santo. Por años le he orado y clamado, diciendo: «Quiero tu dirección, anhelo tu guía, Señor». Pero llegar a esa intimidad estrecha con Él es algo que se da sólo cuando hay un desprendimiento pleno de uno mismo, cuando podemos renunciar a nuestros propios intereses y nos sometemos a los deseos divinos. Cuando nuestros sueños son unidos a los de Él, cuando nuestra visión es la que recibimos de Él y nuestras metas son las mismas metas de Dios, entonces podemos decir que hemos entrado a tener una dependencia total de Él. Y en cada paso que demos, en cada pensamiento que aceptemos en nuestra mente, y en cada palabra que expresemos con nuestros labios, todo lo estaremos haciendo para su gloria.

El Espíritu Santo es el único que conoce lo más intimo de Dios; es el único puente que une lo humano con lo divino, lo eterno con lo temporal; es el único que puede ayudarnos a que la gloria de Dios sea derramada en esta tierra. Luego que Jesús ascendió al cielo, envió al Espíritu Santo para que tomara su lugar. Jesús sólo podía dejar como encargado de la iglesia a alguien en quien confiara plenamente, y la única persona que tenía todos los requisitos necesarios para hacerlo era el Espíritu Santo. Por eso, el Señor dijo que cuando Él viniera, sería un padre para nosotros: «*No os dejaré huérfanos*» (*Juan 14:18*).

CONOCIENDO AL ESPÍRITU SANTO

El Espíritu Santo es extremadamente sensible, muy susceptible. Cuando Juan bautizó a Jesús en el río Jordán, tuvo una visión del Espíritu, y lo vio en forma corporal, como de paloma. Las palomas son una de las aves más sensibles, que se pueden asustar fácilmente a causa de cualquier ruido o movimiento brusco, por lo cual se espantan y se van. Jesús tuvo que llevar una vida de integridad para que el carácter del Espíritu posara sobre Él. Del mismo modo, el Espíritu Santo está buscando personas con corazones íntegros para poder posar su carácter en ellos. Mantener la intimidad con el Espíritu Santo implica velar a diario por esa amistad y comunión, donde no permitimos en nuestro corazón ninguna actitud que le desagrade a Él.

El Salmista dijo: Examíname oh Dios y pruébame para saber si hay en mí camino de iniquidad. Continuamente debemos decirle a Dios: «Examina mi vida, tal vez estoy haciendo lo que a mí me parece correcto, pero para Ti no lo es. Espíritu Santo, yo quiero que Tú me guíes y dirijas en todo». Muchas veces, para nosotros es más fácil amoldarnos a una situación y sentirnos satisfechos con lo que ya hemos logrado, pero si mantenemos una relación íntima con el Espíritu de Dios, Él no permitirá que nos estanquemos o conformemos con lo que ya hemos recibido, pues Él mismo produce una motivación interna para que continuemos avanzando con ese espíritu de conquista.

APRENDIENDO A DEPENDER DEL ESPÍRITU SANTO

Creo que uno de los más grande privilegios que he tenido es el de poder servir al Señor dentro del ministerio pastoral. Durante más de diez años de servirle en esta área vimos el respaldo de Dios de una manera sobrenatural. Todo lugar que tomábamos, lo llenábamos; todas las metas que nos trazábamos, las cumplíamos; y disfrutábamos de cierto éxito a nivel ministerial.

Pero dentro de mí vino un gran inconformismo pues sentía que lo que habíamos logrado hasta el momento estaba muy por debajo, en relación a la demanda de la necesidad espiritual de la gente.

Por tal motivo, me atreví a orar de una manera poco común. Aquel día le abrí mi corazón al Señor, y le dije: «Espíritu de Dios, gracias por darme el privilegio de estar dentro de tu obra, pero he tomado la decisión de renunciar al pastorado. Espíritu de Dios, te pido que a partir de hoy Tú seas el pastor de la iglesia, y acéptame como tu colaborador». Estaba haciendo esta oración de lo profundo de mi alma. Luego, Él se acerca hasta mí y me dice: «¿Por qué tardaste tanto tiempo en decírmelo? Porque hasta este día tú eras el pastor y yo era tu colaborador. Cuando te levantabas a predicar, tú me decías: Espíritu Santo, bendice lo que voy a hablar. Cuando terminabas de dar tus enseñanzas decías: Bendice Señor, lo que he hablado. Cuando orabas por la gente, me pedías: Bendice Espíritu Santo estas personas, y quiero que te muevas de esta manera, o de aquella. Actuabas tú como el pastor, y me tenías a mí como tu colaborador. Aun en las reuniones con tu equipo de líderes, les enseñabas por horas y luego decías: Espíritu Santo, bendice todo lo que he hablado. Pero hijo, cómo me ha agradado que hayas hecho esta oración y que me hayas entregado a mí el pastorado, porque desde hoy en adelante Yo seré el pastor, y tú serás mi colaborador. No puedes llegar a imaginar lo que sucederá en tu ministerio desde este instante».

Desde aquel día, el Espíritu de Dios tomó muy seriamente la oración que realicé, a tal punto que Él mismo nos indica los días en que debemos estar en Colombia y cuándo tomar nuevamente el ritmo del trabajo. Él nos muestra cuando ya hemos hecho nuestra parte y cuando Él se hace cargo del resto. Él es quien nos dirige en cada área que anhela que conquistemos.

TENER CUIDADO DE NO SALIRNOS DE LA VISIÓN

Como líderes, tenemos el deber de formar en nuestros discípulos el carácter de Cristo. Y una de las enseñanzas que quedan más grabadas en sus corazones es el ejemplo. Cada palabra que nosotros le digamos, cada actitud que tengamos, o bien los motivará, o bien les quitará el ánimo de seguir adelante. La dirección que le demos al ministerio y las metas que establezcamos ayudarán de manera positiva, o afectarán el futuro ministerial.

A principios del año 1995 comencé a preparar doscientos líderes para enviarlos como pastores, pues teníamos el proyecto de abrir doscientas iglesias en los diferentes lugares de la ciudad. Pensé que ésta sería la manera más rápida de crecimiento. A mitad de año, con mi esposa fuimos a una conferencia para líderes cristianos en Seúl, Corea, donde aprovechamos la oportunidad para visitar la iglesia del pastor Cho. Mientras estábamos en la parte de atrás del auditorio, tuve una visión. Mis ojos espirituales se abrieron y vi al pastor Cho con la indumentaria de un atleta corriendo hacia mí con una antorcha en su mano. Corre y llega hasta donde yo me encontraba. Me entrega la antorcha y, al instante que la recibo, el Espíritu Santo me habla y dice: «Hijo, te estoy entregando la antorcha de la multiplicación. Yo te di una visión celular similar a la que tiene el pastor Cho y tú has querido introducir otra visión dentro de la visión. Eso te sacaría de mi propósito. Hijo, necesito que te dediques a la visión celular». Aquel día me arrepentí y le dije al Señor: «Perdóname por tratar de desviarme de lo que Tú habías trazado para mí, y por haber obrado de acuerdo a mi propio criterio».

ENFOCÁNDONOS NUEVAMENTE EN LAS CÉLULAS

Cuando regresé a Bogotá, reuní al liderazgo y, junto con ellos, a todas aquellas personas que estaba entrenando. Les compartí la experiencia, pedí perdón y les dije: «Regresamos nuevamente a la visión celular». En esos seis meses nos pusimos la meta de llegar a cinco mil células. Fue un arduo trabajo y una tarea difícil. No alcanzamos la meta propuesta, pero sí llegamos a pasar de mil doscientas células que ya teníamos, a cuatro mil células. Si no hubiésemos entregado el ministerio pastoral al Espíritu Santo, mi visión se habría limitado completamente y no hubiésemos alcanzado a conquistar nuestros sueños. Pero cuando el Espíritu de Dios toma el control de la iglesia, Él asume su responsabilidad seriamente. Los apóstoles lo entendieron cuando dijeron: «Porque ha parecido bien al Espíritu Santo, y a nosotros... «. Como ministerio, nos hemos asegurado que cada decisión tomada para el desarrollo de nuestras metas tenga primeramente la aprobación del Espíritu de Dios y, de este modo, permanecer siempre en su propósito.

CÓMO HACER EQUIPO CON EL ESPÍRITU SANTO

Es fundamental entender que la obra de Dios la llevamos a cabo en nuestras fuerzas, o lo hacemos con con sus fuerzas. Dios anhela que trabajemos en una intimidad plena con Él, siendo Él el socio principal en el trabajo que nosotros desarrollemos. Pero el Espíritu deja a nuestro libre albedrío el que nosotros le confiemos cada responsabilidad; y si estamos dispuestos a hacerlo, debemos tener en cuenta ciertas consideraciones:

ÉL ES UNA PERSONA

Tú no puedes tratar al Espíritu Santo como si fuera algo irreal. No lo puedes tratar como un objeto, ni como un ser que no tiene lógica, porque Él es una persona. Es tan real como cualquiera de nosotros, y es su deseo que no lo ignoremos. Él necesita de nuestras palabras, anhela que le consultemos, que pongamos a su disposición cada uno de los pasos que vayamos a dar, que le permitamos a Él dar el visto bueno. Eso fue lo que llevó a la iglesia primitiva a que tuviera gran éxito, a que pudiera desarrollarse de una manera plena y así alcanzar las naciones, algo que a la iglesia actual le ha costado, pero que ellos lograron realizar en la primera época.

HACERLO SU SOCIO

Es fundamental que entendamos que el Espíritu de Dios desea tener el control pleno de nuestra agenda y todo lo que ésta incluya. Él debe tener la total libertad de elaborar los cambios que se requieren en nuestra vida, pues debemos recordar que no estamos construyendo nuestro reino sino el de Él. Hacer al Espíritu de Dios nuestro socio implica llevar una vida exclusivamente de fe.

DEPENDA DE LOS RECURSOS DE ÉL

Es importante comprender que todos los recursos de Dios son administrados por el Espíritu Santo; y todo lo que nosotros necesitemos dentro del ministerio, Él lo posee. Por tal motivo, nuestra relación con el Espíritu debe ser excelente. Hacer la obra de Dios es algo sobrenatural, y lo que es imposible con medios humanos, o por nuestra lógica, es posible con su ayuda.

Antes de venir el Señor Jesús a este mundo, la gente conoció el ministerio de Dios Padre. Cuando el Señor Jesús estuvo en esta tierra, el mundo fue impactado por Su obra redentora. Pero, después de que Jesús ascendió a los cielos, el Espíritu Santo se constituyó en el único representante, tanto del Padre como del Hijo, y por ello, es el único que decide a quién le otorga los recursos que sus siervos necesitan. Esta es la razón por la cual nuestra relación con Él debe ser excelente.

QUE ÉL SEA EL DIRECTOR TÉCNICO
DEL EQUIPO MINISTERIAL

Nosotros podemos llegar a equivocarnos al escoger las personas que integren nuestro equipo, pero Él no. El Espíritu mismo traerá revelación a nuestras vidas de quiénes son aquellos con los que debemos llevar a cabo la obra, en quiénes debemos invertir tiempo, a quiénes debemos formar, y cómo podemos hacerlo. Una de las tareas más difíciles de cualquier líder es conformar el equipo con el cual debe trabajar en el futuro. Es tan importante la elección de cada uno de ellos como lo es el escoger al cónyuge.

RENUEVE SU MENTE

Es fundamental tener una plena sensibilidad a la dirección del Espíritu Santo y estar siempre dispuestos a movernos de acuerdo a su guía, en la manera como Él desea hacerlo. Esto implica que nuestra mente tiene que ser renovada día a día, y tomar el rumbo que Él ha trazado para nosotros. El único camino para renovar nuestra mente es aprender a estar en su presencia diariamente, bebiendo de su Espíritu; pues es en la intimidad con Él que el velo se corre y nos es revelado lo que hay en su corazón, para que nosotros lo llevemos a cabo.

ENTREGA TOTAL

El Espíritu Santo quiere tener intimidad con aquellos que rinden la totalidad de sus vidas a Él, no con aquellos que tratan de decirle cómo debe hacer las cosas, o qué cosas debe hacer. Siempre debemos estar sometidos a la guía que Él quiera darnos. Esto implica una dependencia total de Él en cada una de las áreas en las que nos desarrollamos. Para que esto se logre, tiene que haber muerto dentro de nosotros todo vestigio de ego.

COMUNIÓN

Planee cada paso que dé en intimidad con Él. Si le permitimos dirigir nuestras vidas, no nos equivocaremos en ningún paso que demos, dado que para Él es tan claro el presente como el futuro. Aunque no entendamos muchas cosas, si igual las hacemos en obediencia a Él, luego veremos los resultados efectivos de nuestras decisiones. Nunca debemos hacer nada por nuestra propia cuenta. Dele siempre al Espíritu Santo el tiempo y la libertad para que Él actúe. A veces, Él dice sí; otras, dice no. Pero cualquiera sea la dirección que Él dé a nuestra vida, debemos tener la certeza de que todo lo tiene bajo su control.

RECONOCIMIENTO

Que todo lo que hagamos redunde para la gloria de Dios. No es el deseo de Dios que en lo que planeemos busquemos nuestra propia gloria. Por el contrario, todo lo que hagamos debe ser exclusivamente para la gloria de Él. Muchos son los que se sienten dueños de los dones que le pertenecen al Espíritu de Dios, mas todos los dones culminarán y lo único que perdurará será nuestro carácter. El rendir a Él nuestra vida es permitirle que moldee nuestro carácter, y así traer gloria a su Nombre.

Capítulo 7

MOTÍVELOS A QUE SEAN PERSONAS DE ORACIÓN

"Tenemos tal sumo sacerdote, el cual se sentó a la diestra del trono de la Majestad en los cielos, ministro del santuario, y de aquel verdadero tabernáculo que levantó el Señor, y no el hombre. Los cuales sirven a lo que es figura y sombra de las cosas celestiales, como se le advirtió a Moisés cuando iba a erigir el tabernáculo, diciéndole: Mira, haz todas las cosas conforme al modelo que se te ha mostrado en el monte":
Hebreos 8:1-2, 5

ORACIÓN COMO ESTILO DE VIDA

Es muy normal que en algunas familias, la figura del padre sea la del proveedor o la de autoridad. Los miembros de la familia comunican sus necesidades, y tienen expectativas que el padre les cuidará. Algo similar sucede en la oración. Muchas veces nosotros nos relacionamos con Dios como la autoridad; lo vemos como el proveedor. Por eso creemos que debemos orar a Él cuando tenemos una necesidad. La vida de oración es la manera en que nosotros nos relacionamos con Dios. El verdadero éxito radica en que cultivemos una amistad íntima y estrecha con Dios. La pregunta es: "¿Cómo llegamos al Padre? ¿Cómo vamos a acercarnos a Él?".

RELACIONÁNDONOS CON DIOS COMO NUESTRO PADRE

Gracias a Dios por Jesucristo, pues Él es el único que nos puede relacionar con el Padre celestial. «El que tiene al Hijo, tiene la vida; el que no tiene al Hijo de Dios no tiene la vida" (1 Juan 5:12). Necesitamos tener al hijo de Dios dentro de nuestros corazones.

Cuando recién estaba comenzando mi vida cristiana, una noche me encontraba orando en mi cuarto. Todo el lugar estaba completamente oscuro. Solía dirigirme a Dios con mucho miedo y temor, pues en mi mente tenía el concepto de que el Padre era una persona muy drástica. Lo imaginaba sentado en un trono con un látigo en su mano, presto a castigarme cuando hiciese algo malo o incorrecto. De pronto, oí una voz que me dijo: "¿Quién te dijo a ti que Dios es así? ¿No sabes que Él está con sus brazos de amor extendidos para que tú te rindas en ellos?". Inmediatamente, en un acto de fe, me arrojé a los brazos del Padre Celestial. Desde ese momento vino una gran seguridad a mi vida, donde todos los vacíos emocionales por la falta del amor de mi padre terrenal , fueron completamente suplidos por Él.

La vida de oración es muy importante para cada uno de nosotros, y requiere que a diario tengamos un lugar de quietud donde podamos estar a solas con Dios, sin que nada nos interrumpa. A veces, he querido hacer una oración corta para aquietar la conciencia y me he dado cuenta que no lo logro. Necesito tomar tiempo para entrar en la presencia de Dios, y allí ver desaparecer toda preocupación y ansiedad, en la medida en que rindo mi vida a Él. El Señor dio varios pasos para poder relacionarnos con Él. Una de las mejores formas fue a través de la oración del tabernáculo.

ENTENDER EL DISEÑO DEL TABERNÁCULO

Todos los elementos del tabernáculo son de mucha ayuda en nuestra relación con Cristo. El tabernáculo fue el recinto sagrado que Dios estableció en el desierto para que el pueblo de Israel se relacionara con Él. Todo el tabernáculo tenía sesenta postes cubiertos por una carpa. Moisés estuvo cuarenta días en el monte de Sinaí, donde Dios le dio las tablas de la ley y le reveló también cómo debía construir el tabernáculo. Dios le dijo a Moisés: "Mira, haz todas las cosas conforme al modelo que se te ha mostrado en el monte" (Hebreos 8:5b). Éste vendría a representar la casa de Dios y el lugar que Dios tendría para relacionarse con su pueblo.

Sabemos que la distribución del tabernáculo estaba conformada por tres partes:

- *El Atrio exterior.* En él había algunos implementos como el altar del sacrificio y el lavacro de bronce.
- *El lugar Santo.* Para llegar al lugar Santo tenían que cruzar por la puerta donde había cinco pórticos. El mobiliario era conformado por el candelabro de bronce, la mesa de los panes de la proposición y el altar del incienso. Luego, había un velo que separaba el lugar Santo del lugar Santísimo.

• *El lugar Santísimo*. Detrás del lugar Santo estaba el lugar Santísimo con el arca de la alianza, dos querubines encima de ella y, en su interior, las tablas de la ley, una porción del maná y la vara de Aarón que reverdeció.

ENTRANDO AL TABERNÁCULO

Para entrar al tabernáculo había que cruzar una puerta, a través de la cual solamente el pueblo de Dios podía ingresar. Jesús dijo: "Yo soy la puerta; el que por mí entrare, será salvo; y entrará, y saldrá, y hallará pastos". También dijo el Señor que sus ovejas oyen su voz, que le conocen y que Él les da vida eterna" (San Juan 10: 7-21). Solamente aquellos que sean verdaderas ovejas de Jesús, que lo hayan aceptado en su corazón como su Señor y Salvador, y que estén viviendo para Él, podrán entrar en el tabernáculo.

Oración:

«Señor Jesús, me rindo totalmente a ti. Creo en ti, creo que Tú eres el verdadero Dios y que a través de ti tenemos entrada ante el Padre Celestial. Gracias por permitir que sea parte de la familia de Dios, y disfrutar de todas tus bendiciones, representadas en cada uno de los elementos que conforman el tabernáculo».

EL ALTAR DEL SACRIFICIO

Con lo primero que uno se encuentra al ingresar al tabernáculo es con el altar del sacrificio. Allí era donde los sacerdotes ofrecían los sacrificios de animales a Dios. Este altar viene a ser un prototipo de Cristo, pues Él se constituyó en una ofrenda agradable ante Dios. Todo ese sacrificio, Jesús lo vivió con el propósito de romper toda maldición de su vida. Cuando llegue al altar, podrá visualizar al Cordero inmolado de Dios, esto es, a Jesús en la Cruz del calvario. Allí podrá verse a sí mismo crucificado juntamente con Jesús.

Oración:

«Señor Jesús, hoy acepto que tu muerte en la Cruz representa mi muerte al pecado. Hoy llevo toda mi naturaleza humana y crucificó mis pasiones y deseos juntamente contigo, y te doy gracias por todos los beneficios que a través de la Cruz recibo»

EL PODER DE LA CRUZ

Moisés levantó la serpiente de bronce en el desierto para que aquellos que habían sido mordidos por las serpientes, con sólo mirar la serpiente de bronce, fueran sanados. Del mismo modo, si miramos fijamente el semblante de Jesús, el veneno del pecado que haya entrado en nuestra vida perderá su efecto, y vendrá la sanidad para nuestro corazon.

Muchas personas han tratado de aceptar la redención a través de la lógica y han quedado divagando en sus propios conceptos, pues la única manera de relacionarnos con Dios es a través de la fe. Aunque en la ley estaba establecido que la crucifixión era sinónimo de maldición, Jesús, por amor a nosotros, aceptó tomar este lugar, para que nosotros fuésemos hechos bendición en Él.

Jesús transformó la maldición en bendición, y ahora podemos acudir a Jesús y encontrar que del árbol de la Cruz salen frutos de bendición para cada uno de nosotros.

Solamente debemos extender la mano y apropiarnos de cada una de esas ricas bendiciones conquistadas por Jesús en el madero. Entendiendo que, al tomar de su fruto, se restaurará nuestra relación con Dios.

Bendición de Salvación

Pablo entendió tan claramente este concepto que pudo decir: "Con Cristo estoy juntamente crucificado, y ya no vivo yo, mas vive Cristo en mí; y lo que ahora vivo en la carne, lo vivo en la fe del Hijo de Dios, el cual me amó y se entregó a sí mismo por mí" (Gálatas 2:20). Es decir que, para él, la muerte de Cristo no era solamente de Cristo, era su propia muerte. Y añadió: "Pero los que son de Cristo han crucificado la carne con sus pasiones y deseos" (Gálatas 5:24).

Oración:

«Señor Jesús, hoy vengo delante ti y entrego en la Cruz del calvario todo lo que soy, y todo lo que represento. En este momento, crucifico juntamente contigo todas mis pasiones y todos mis deseos, todos mis pensamientos y todas mis palabras. Reconozco que estaba perdido, pero tu gracia me alcanzó. Ahora soy salvo y sé que ya no soy condenado, sé que no voy al infierno, sé que no regreso al mundo, porque tu salvación me alcanzó. Gracias Dios por rescatarme y por lo que conquistaste para mí. Gracias por la sangre que Tú derramaste en aquel madero.

Sé que ahora mismo toca mi vida y me limpia de todo mi pasado. Sé que he recibido el perdón por todo aquello en lo cual te había ofendido, pues me has hecho tan blanco como la nieve. Ninguna iniquidad podrá enseñorearse jamás de mí porque tu sangre me cubre y me protege».

Bendición de Sanidad

El Profeta Isaías dijo: "Ciertamente, él llevó nuestras enfermedades y dolencias... y por cuya herida fuisteis vosotros curados» (Isaías 53:4-5). A algunos les es fácil creer que en la Cruz se obtiene salvación, pero les es difícil creer que obtendrán también sanidad. Jesús conquistó tanto lo uno como lo otro, es cuestión de apropiarnos de estos beneficios por medio de la fe. Para poder traer claridad acerca de esta enseñanza, permítame compartir el caso de una mujer inválida que asistió a una de nuestras reuniones. Me acerqué a ella y le dije: "¿Crees que Jesús te puede sanar?". Me respondió con firmeza: "Sí". Le di una breve enseñanza durante unos dos minutos, y luego la orienté a que durante todo el servicio mantuviera sus ojos puestos en Jesús, y que cuando orara por los enfermos ella se levantara y caminara. Efectivamente, ese día la mujer salió de aquella reunión caminando normalmente. Cuando le pregunté: "¿Cómo había sucedido?", ella me respondió: "Pude ver a Jesús en la Cruz, pude caminar hasta donde Jesús estaba, le entregué mi parálisis, sentí que esa enfermedad ya no era mía sino de Él. Y cuando usted me dijo que me levantara y caminara, sentí que todo mi cuerpo se llenaba de una gran energía. Tuve las fuerzas y pude pararme y caminar, porque sabía que la parálisis no era mía sino de Él".

Sé que la sanidad viene como resultado de nuestra fe, pues todas las cosas son posibles al que cree.

Oración:

«Gracias Dios porque el milagro de la sanidad Tú lo conquistaste por mí hace dos mil años. Sé que esos treinta y nueve latigazos que recibiste sobre tu espalda se convirtieron en medicina para mi cuerpo. Yo he creído en Ti y acepto mi sanidad, y también la de mis seres queridos (los puede nombrar específicamente). Señor, acepto la sanidad de mi cónyuge, de mis padres, de mis hijos, de mis familiares. Señor, en esa llaga Tú diste sanidad no solamente a mi vida sino a las vidas de ellos. Yo acepto ese milagro ahora y resisto toda enfermedad y toda dolencia en el Nombre de Jesús. Gracias, Señor, por la sanidad. De tu espalda llagada, ha venido mi bendición».

Bendición de Prosperidad

Cuando Adán pecó, Dios le dijo: "Maldita está la tierra por tu causa; espinos y abrojos te producirá" (Génesis 3:17-18), y en ese momento entró la maldición. Pero Jesús, al llevar la corona de espinas sobre sus sienes, camino a la Cruz, simplemente estaba quitando la maldición de su vida, y la maldición de su tierra.

Jesús se hizo pobre para que nosotros con su pobreza fuésemos enriquecidos. La prosperidad no es algo que esté reservado para los incrédulos, Dios la alcanzó para sus hijos.

San Pablo dijo: "Mi Dios, pues, suplirá todo lo que os falta conforme a sus riquezas en gloria en Cristo Jesús" (Filipenses 4:19). Y también hizo referencia a Jesús como el canal que Dios utilizó para traer la prosperidad: "Por cuanto agradó al Padre que en él habitase toda plenitud, y por medio de él reconciliar consigo todas las cosas, así las que están en la tierra como las que están en los cielos, haciendo la paz mediante la sangre de su cruz" (Colosenses 1:19-20).

Jesús representa toda la plenitud del Padre, y parte de lo que Él logró reconciliar en la Cruz del Calvario fue la prosperidad que el hombre había perdido por causa del pecado. Jesús es la riqueza de Dios.

Me llamó mucho la atención escuchar al doctor Cho diciendo: "Dios envolvió toda la riqueza en una persona llamada Jesús". Cuando él dijo esto, mi entendimiento se iluminó y vi la otra cara de la moneda, pues siempre habíamos escuchado acerca de la pobreza de Jesús pero no se oía mucho de que en Jesús se concentraban todas las riquezas del Padre. La riqueza está en Dios, Él la entregó a Jesús, y Jesús la entrega a sus hijos. Dios reservó la prosperidad para usted, pero es algo que se concibe dentro de su ser a través de la fe. No acepte el espíritu de pobreza porque Cristo lo venció para que usted viviera en prosperidad. El deseo de Dios es que usted entienda que la misma Palabra Suya le da la estrategia para entrar en la prosperidad y para que ella venga a través de su vida.

Oración:

«Señor, gracias porque en tus sienes llevaste mi miseria, mi maldición. Gracias Jesús, porque Tú quitaste mi maldición, aun la que heredé de mis padres. Soy libre de toda opresión financiera. Te doy gracias Señor porque ahora yo vivo bajo bendición. Te doy gracias porque hoy entendí que no es el esfuerzo humano, que no es lo que mis energías puedan hacer, sino que es tu bendición en mi vida la que trae la prosperidad. Yo recibo la mente de Cristo, y desde hoy pensaré en términos de abundancia y de prosperidad. Señor, haz de mi cuerpo, mi mente y mi espíritu el lugar donde Tú envuelvas tus riquezas. Dios, dame tus sueños, dame ideas creativas, dame tu unción para que la prosperidad llegue a mi vida, a mi familia y al ministerio».

Bendición de Multiplicación

Así como por el pecado entró la muerte, también por la redención en la Cruz entró la vida. Y ésta se tiene que reproducir en las almas que podamos alcanzar para el Señor. Todo aquel que pueda mirar a la Cruz del Calvario y logre que también sus discípulos miren la Cruz, podrá concebir la multiplicación de las almas dentro de su comunidad. En la Cruz, sus grupos de células se nutrirán y se multiplicarán.

En uno de los momentos más críticos de la vida de Jacob, Dios le dio una gran revelación. Está relatada en Génesis 30:37-43. Jacob pudo llevar las ovejas al abrevadero y hacía que miraran las varas verdes con molduras blancas de álamo, de avellano y de castaño que él había puesto delante del ganado en los canales de los abrevaderos. Y, al mirar la madera, concebían y parían la clase de ovejas que Jacob estaba esperando. Esto le llevó a conquistar el milagro de la multiplicación.

El profeta Eliseo le dijo a la viuda que consiguiera muchas vasijas prestadas, y empezó la viuda a correr por todo el vecindario pidiendo recipientes hasta que ya no había más. Luego, todas estas vasijas fueron llenas con el poco aceite que había en la casa de la viuda, y de la venta de ese aceite la viuda obtuvo su provisión (2 Reyes 4:1-7).

En la bendición de la multiplicación, todo lugar que se abra para una célula, Dios lo llenará, porque el crecimiento lo da Dios.

Oración:

«*Dios, te ruego que me des la unción de la multiplicación; quiero que lo que yo toque reciba vida, que resucite. Imparte tu vida a mis discípulos, a mis células y a mi comunidad. Que aquello que está como muerto sea tocado por tu Espíritu de vida. Señor, vivifica cada persona que está bajo mi liderazgo, que ellos puedan crecer en su fe. Haz crecer en ellos una nueva esperanza, que sean recompensados ampliamente por lo que han hecho para tu obra. Hoy veo las multitudes que vienen a mi ministerio. Declaro que toda esterilidad espiritual en mi vida se va. Yo, desde hoy, soy padre de multitudes en el Nombre de Jesús*».

EL LAVACRO DE BRONCE

Después del sacrificio, el sacerdote tenía que caminar hasta donde estaba el lavacro de bronce, y con el agua que había allí, tenía que lavarse. El agua representa la Palabra de Dios, que debe estar morando abundantemente en nosotros. Comprométase en lavarse a diario con el agua de la Palabra.

El Señor dijo: "Ya vosotros estáis limpios por la palabra que os he hablado; y el que está limpio por dentro no necesita sino lavarse los pies" (Juan 5:3).

Sabemos que lo que nos lavó fue la sangre del cordero, pero el contacto diario con la Palabra de Dios nos mantendrá purificados a diario y nos ayudará a mantener la pureza espiritual.

Oración:

«Señor, hoy me lavo con el agua de tu Palabra. Tu Palabra es vida. Necesito que esa Palabra esté dentro de mi corazón. Hoy quiero comprometerme a ser fiel Contigo y a vivir saturándome de tu Palabra».

LOS CINCO PÓRTICOS

Para entrar al lugar Santo debemos cruzar por los cinco pórticos, los cuales se refieren a los cinco ministerios: apóstoles, profetas, pastores, evangelistas y maestros. Estos están también muy relacionados con la visión. El evangelista es el que gana las almas, el pastor es el que las consola, el maestro es el que las discipula, el profeta es el que las motiva y el apóstol es el que solidifica el ministerio.

Oración:

«Desde este momento acepto la unción ministerial para mi vida. Úsame en cualquiera de los ministerios que tienes para mí, Señor. Permíteme tener sensibilidad para poder conocer la manera en que Tú anhelas usarme. Quiero ser siempre fiel a todo lo que Tú me confíes, pues es para mí un privilegio que el carácter de Cristo sea manifiesto en mi vida a través de cualquiera de tus ministerios. Sé que por medio de ellos, miles de personas serán edificadas, alentadas, ministradas y alcanzadas».

LA MESA DE LOS PANES DE LA PROPOSICIÓN

Sobre la mesa de acacia, que estaba cubierta de oro, se hallaban los doce panes de la proposición. "Y tomarás flor de harina, y cocerás de ella doce tortas; cada torta será de dos décimas de efa. Y las pondrás en dos hileras, seis en cada hilera, sobre la mesa limpia delante de Jehová" (Levítico 24:5-6). Esto nos habla del grupo de doce, los seis panes en cada fila. Una de las filas significa una mirada hacia Dios, la otra significa una mirada hacia las necesidades de la gente.

Debe desear que todos los integrantes de su célula tengan una relación profunda e íntima con Dios, y también debe interesarse por las necesidades de las personas que asisten a la célula.

Jesús dijo: «Yo soy el pan de vida» (Juan 6:48). Es Él quien nos da vida y la reproduce en nuestros discípulos.

Oración:

«Señor, bendigo mi ministerio, bendigo a los doce discípulos que me has dado, y te pido Señor que haya unción fresca sobre ellos y sobre sus células, sobre sus vidas y sobre todos sus compromisos. Tú que conoces cada una de sus necesidades, aquellas que han compartido y aquellas que no, te ruego que hoy tu mano poderosa sea sobre ellos haciendo milagros y prodigios. Gracias porque tu poder obra en ellos ahora».

EL CANDELABRO CON SUS SIETE BRAZOS

Este candelero representa la plenitud del Espíritu Santo. En la revelación que Juan tuvo, vio a Jesús como un Cordero inmolado que tenía siete cuernos y siete ojos, los cuales son los siete espíritus de Dios enviados a toda la tierra (Apocalipsis 5:6). El profeta Isaías dijo: "Y reposará sobre él el Espíritu de Jehová; espíritu de sabiduría y de inteligencia, espíritu de consejo y de poder, espíritu de conocimiento y de temor de Jehová" (Isaías 11:2). Esta es una representación de los siete espíritus de Dios. La sabiduría trabaja en equipo con la inteligencia, el consejo con el poder, y el conocimiento con el temor de Jehová. Usted debe tomar la decisión de caminar a diario en estrecha relación con el Espíritu Santo, entendiendo que sobre Jesús posaba la plenitud del Espíritu de Dios.

Oración:

«Señor, pido que la plenitud del Espíritu de Dios esté en mi vida, que me des el Espíritu de Jehová, espíritu de sabiduría y de inteligencia, espíritu de consejo y de poder. Te ruego que me des el espíritu de conocimiento y de temor de Jehová porque quiero ser un discípulo sabio, lleno de tu plenitud. Así como estos espíritus operaban sobre la vida de Jesús en su ministerio, te pido que desde hoy, ellos estén conmigo».

EL ALTAR DEL INCIENSO

Sabemos que Jesús es el Sumo Sacerdote que intercede por nosotros ante el Padre y que traspasó los cielos mismos, donde intercede por cada uno de nosotros. El altar del incienso nos habla de misericordia. Quizás creemos que hay algunas personas que no merecen nuestro perdón, pero a través de la intercesión podemos extender la misericordia hacia cada una de ellas. Recordemos que siempre la misericordia triunfa sobre el juicio. A través de la intercesión podemos sentir la misma carga que hay en el corazón de Dios por un mundo que está a punto de perecer por su propia maldad.

Oración:

«Amado Dios, así como Tú extendiste tu misericordia infinita a mi vida, yo hoy extiendo misericordia sobre la vida de aquellos que me han herido. También oro por aquellos que nunca se han encontrado con tu misericordia. Hazme un instrumento para alcanzar sus vidas».

EL LUGAR SANTÍSIMO

Cuando Jesús murió, el velo que separaba el lugar Santo del lugar Santísimo se rasgó, quedando abierto un camino nuevo a través de su cuerpo, sabiendo que, antes de esto, el único que podía entrar al lugar Santísimo era el sumo sacerdote, y sólo podía hacerlo una vez al año. El sacerdote se presentaba con la sangre del sacrificio. Rogaba primero por sus propios pecados y luego por los de todo el pueblo. Dios miraba la sangre, aceptaba al sacerdote y recibía el sacrificio de él a favor del pueblo.

Oración:

« Jesús, gracias porque tu entrega de amor en la Cruz rasgó el velo que me separaba del Padre. Hoy tengo libre acceso a su presencia. Me acerco confiadamente al trono de la gracia porque allí encontraré misericordia».

EL ARCA DE LA ALIANZA

Dentro del lugar Santísimo estaba el Arca de la alianza, que representa la misma presencia de Dios. El Arca vino a convertirse en lo más santo dentro del pueblo de Israel; equivalía al contacto directo con Dios. Todos los judíos sabían que allí estaba su presencia. Cuando el Arca fue tomada cautiva, los filisteos vieron llegar juicios sobre ellos y sobre su territorio, razón por la cual tuvieron que devolverla. La enviaron de regreso a los israelitas, puesta cuidadosamente sobre bueyes.

QUEBRANTAMIENTO DE UZA

Luego, cuando David conducía el Arca a Jerusalén, también lo hizo sobre bueyes. Estos empezaron a tropezar porque era un terreno fangoso a causa de la lluvia. El Arca empezó a ladearse, dando la impresión de que se iba a caer al piso. Por ello, Uza, levita de los hijos de Coat, quien sabía que nadie podía tocar el Arca, extendió su mano para evitar que cayera. En ese momento, el juicio de Dios cayó sobre él y murió (2 Samuel 6:6-7).

Dios le estaba enseñando al pueblo que es más limpio el barro que la mano de un hombre, pues el tocar el Arca con la mano implica mezclar lo santo con lo humano, y esto trajo el juicio de Dios de una manera terminante sobre la vida de Uza.

LA BENDICIÓN VINO SOBRE OBED-EDOM

David se contristó tanto de que Dios hubiese herido a Uza y éste hubiese muerto que dijo: "Yo no llevo el Arca de Dios a Jerusalén". Fue allí cuando Obed-edom se ofreció para que el Arca de Dios permaneciera en su casa. Durante todo el tiempo que el Arca de Dios estuvo allí, Dios lo bendijo y prosperó su casa y su familia. Es decir que guardando los principios bíblicos hay bendición, hay prosperidad para la familia. El juicio viene cuando hay alguna clase de profanación. En el Arca siempre estaba la presencia de Dios. Cuando David quería consultar sobre cualquier asunto, mandaba a traer el Arca y siempre Dios respondía.

UN NUEVO PACTO

Dios ha guiado a su pueblo por medio de su Palabra. La lucha que el Señor sostuvo con Israel fue porque éste olvidaba rápidamente su Palabra y, consecuentemente, se olvidaban de Él, volviéndose a ritos paganos. A través del profeta Jeremías, el Señor dijo: "Pero este es el pacto que haré con la casa de Israel después de aquellos días, dice Jehová: Daré mi ley en su mente, y la escribiré en su corazón; y yo seré a ellos por Dios, y ellos me serán por pueblo. Y no enseñará más ninguno a su prójimo, ni ninguno a su hermano, diciendo:

Conoce a Jehová; porque todos me conocerán, desde el más pequeño de ellos hasta el más grande, dice Jehová; porque perdonaré la maldad de ellos, y no me acordaré más de su pecado" (Jeremías 31:33-34). "Dijo entonces Jesús a los judíos que habían creído en él: Si vosotros permaneciereis en mi palabra, seréis verdaderamente mis discípulos; y conoceréis la verdad, y la verdad os hará libres" (Juan 8:31-32).

Oración:

«Señor Jesús, te pido que abras mi mente para poder comprender las verdades que hay en tu Palabra. Trae revelación y sabiduría para conocer siempre tu voluntad; con tu propio dedo escribe la Palabra tuya en mi corazón para que siempre ella me guíe, me guarde y me defienda de cualquier adversidad. Señor, gracias porque me has hecho más sabio que muchos de los que me han enseñado, y tu Palabra es una lámpara a mi senda y una lumbrera a mi camino».

LA VARA DE AARÓN QUE REVERDECIÓ

En la época de Moisés se levantó una fuerte murmuración contra Aarón. Para dar fin al conflicto, Moisés hizo que un príncipe de cada tribu tomara una vara seca y la trajera delante de la presencia de Dios, y Él mostraría la diferencia haciendo que la vara de la persona escogida por Él reverdeciera. Fue así como ratificó el llamado al ministerio sacerdotal de Aarón. Esa vara nos habla del milagro de la resurrección, si nos atrevemos a creerle a Dios. El Señor soplará espíritu de vida sobre nuestro ministerio, sobre nuestras relaciones familiares y también sobre nuestras finanzas. Aunque las esperanzas aparentemente estén secas, a través de la oración reverdecerán.

Oración:

«Señor Jesús, te pido que hagas reverdecer mi ministerio, que tu Espíritu Santo sople sobre mí y pueda comprender cuál es tu propósito para mí. Señor, has reverdecer mis finanzas. Pido que tu Espíritu sople sobre mí y hagas un milagro financiero ahora; que así como reverdeció la vara de Aarón hagas reverdecer mis finanzas. Y restaura las relaciones familiares, en el Nombre de Jesús».

LA PORCIÓN DE MANÁ

El maná fue el alimento que Dios le envió al pueblo de Israel en el desierto, y representa el alimento espiritual para el pueblo de Dios en la actualidad. A diario debemos pedirle al Señor que nos dé una palabra rhema para cada día. "Despertará mañana tras mañana, despertará mi oído para que oiga como los sabios" (Isaías 50:4b).

Oración:

«Señor, hoy me postro humillado ante tu presencia. A Ti que habitas entre serafines y querubines, te pido que nunca falte la Palabra tuya en mi corazón y que me des claridad para comprenderla. Señor, que el maná de la palabra rhema entre en mi corazón cuando lea tu Palabra, que pueda discernir a través de ella lo que me quieres decir. Señor, haz revivir las esperanzas, da vida a mis finanzas y a mi ministerio, en el Nombre de tu Hijo Jesucristo» Amén.

Capítulo 8

FORMANDO LÍDERES SEGUROS DE SÍ MISMOS

"El temor del hombre pondrá lazo;
mas el que confía en Jehová será exaltado".
Proverbios 29:25

TENGA UNA IMAGEN CORRECTA DE SÍ MISMO

"Miguel, eres un hombre de Dios". Eran las palabras que salían de la boca de la joven que le abría las escrituras a este hombre. Mas su respuesta fue: "No, soy un adicto a la droga, y quien es adicto no dejará de serlo". Esta declaración hablaba de su convicción interna. "¿Cómo podré ser un hombre de Dios cuando el vicio ha dominado mi vida y me ha llevado a vivir en las calles? No tengo amigos, y todos mis conocidos me han dado la espalda; ni siquiera la muerte me ha aceptado, porque las veces que he querido quitarme la vida, no logré que ella me reciba". Mientras Miguel miraba su pasado, éste no concordaba con las palabras que estaba oyendo en ese momento. "Un hombre de Dios es algo muy sagrado para que yo sea comparado con ello". Aunque él no entendía muchas cosas, decidió entregar su corazón a Jesucristo. Estas palabras continuaron sonando en su mente durante varios días. Le era muy difícil aceptar que alguien que tuvo esa clase de vida, como la que él llevó, fuera a cambiar de una manera tan tajante en muy corto tiempo. Recordaba cuando por siete meses había caído en una profunda depresión que lo mantuvo completamente aislado de todo lo que le rodeaba, cuando ni siquiera tuvo el ánimo de bañarse ni cambiarse la ropa sino que lo único que quería era morir, pero la muerte no llegaba. Con todo lo que su vida le había hecho experimentar, se preguntaba: ¿Cómo podía ser él un hombre de Dios?

LA CRUZ DE JESÚS

Cuando se le presentó la oportunidad de asistir a un encuentro, lo primero que escuchó fue que había alguien que lo comprendía y que lo aceptaba tal como era. Esto lo llevó a recordar cuando, bajo los efectos de la droga, se fue a una avenida y se arrojó para que algún carro lo atropellara. Todos lo esquivaron. En su desesperación, decidió lanzarse a otro de ellos, pero la presión del aire lo impulsó tan fuerte que cayó en un abismo. Ese abismo era el lugar donde se arrojaba la basura de toda la ciudad. No alcanzó a caer en el fondo, sino que fue sostenido sobre una roca. Pasó allí toda la noche hasta que, al día siguiente, como pudo, logró escalar la montaña de basura y salir de aquel sitio. Con todo lo que había vivido, con todos los fracasos que había experimentado, viendo que nada le salía bien, ¿cómo alguien podría amarlo? Sentía que nadie podía llegar a tener algo de afecto por él. Todos estos cuestionamientos se fueron aclarando en el encuentro, al escuchar la conferencia acerca de la Cruz. Pudo comprender el gran milagro de la redención, que Dios hizo un gran intercambio en la Cruz del calvario, donde tomó todo lo malo que él era y lo llevó sobre su cuerpo. Aprendió que todo aquel que en Él crea, puede recibir todo lo bueno de Jesús. Esta revelación despertó de tal manera su fe que no quiso que pasara más tiempo sin obtener todos sus beneficios.

FUERON MUDADOS EN DOS NUEVAS PERSONAS

Tanto Miguel como su esposa se entregaron de lleno a Jesús. En muy corto tiempo se produjeron los cambios más dramáticos de sus vidas. En pocos días, sus rostros habían sido mudados, recuperaron su vida de sociedad y su valor personal. Siguieron firmemente todo el proceso de la consolidación, pero ambos sentían que tenían una gran deuda con Dios y se propusieron hacer un esfuerzo por agradarle en todo. Después de terminar sus estudios en la escuela de líderes, decidieron como pareja ofrendar su servicio a Dios seis días de la semana, y sólo trabajar un día para cubrir sus necesidades. Llegó a ser esto algo verdaderamente milagroso, pues en ese día que se dedicaban al comercio, Dios les daba la provisión de toda la semana. El Señor comenzó a bendecirlos con almas y empezaron a formar discípulos. Hoy en día, ambos han logrado acrecentar en gran manera su ministerio; sus discípulos los aman. Cuando Miguel escucha que alguien le dice: "Hombre de Dios, ayúdeme en oración por esta necesidad que tengo", él siente una gran satisfacción dentro de su corazón por el milagro de la regeneración.

MARCADO POR LAS CIRCUNSTANCIAS

¿Había escuchado antes el nombre de Mefi-boset? Pues permítame decirle que no se trata de algún cantante, ni tampoco de un músico, sino de alguien a quien la vida lo había golpeado muy duro, por lo que llegó a pensar que era una equivocación de la naturaleza, aún siendo nieto del rey Saúl. Éste había sido el primer rey sobre Israel pero, a causa de su desobediencia, en un mismo día murió él y también sus hijos. Mefi-boset tenía cinco años de edad cuando la criada, al recibir la noticia y por correr precipitadamente, tropezó y cayó con él, quedando desde ese día lisiado de los pies. La vida de este niño fue marcada por el infortunio, pues él se sentía en el abandono más grande. Su padre, sus tíos y su abuelo estaban muertos y él, inválido. Cualquiera podría pensar que la vida así no tenía sentido, pero lo que sucedió en la vida de este niño se ha convertido en la voz de aliento para muchos.

CONOCIENDO LA MISERICORDIA

Cuando David ya se había consolidado como rey sobre Israel, quiso hacer misericordia con la casa de Saúl, el anterior rey; y le hablaron de un nieto suyo llamado Mefi-boset, quien, además, era hijo de Jonatán, amigo de David. Lo primero que el rey le dijo fue: "No tengas temor, porque yo a la verdad haré contigo misericordia por amor de Jonatán tu padre, y te devolveré todas las tierras de Saúl tu padre; y tú comerás siempre a mi mesa". Mefi-boset, inclinándose, le respondió: "¿Quién es tu siervo, para que mires a un perro muerto como yo?" (2 Samuel 9:7).

David, en esta ocasión, es un prototipo de la gracia de Dios para con cada uno de nosotros y de cómo Él nos dignifica cuando sentimos que no valemos nada.

LA MISERICORDIA DE DIOS TRANSFORMA

Recuerdo que en uno de los encuentros de hombres, estuve contemplando el rostro de alguno de ellos, y vi que en sus aspectos se reflejaba la condición interna; prácticamente, se podía palpar que el fracaso siempre los había acompañado. Pero sabía que si ellos llegaban a comprender la gracia de Dios, sus vidas cambiarían de una manera radical. Efectivamente, cuando llegamos a la enseñanza del arrepentimiento y luego tuvimos un tiempo de ministración, pudieron llevar sus propias vidas en un acto de fe hasta la Cruz, y se sintieron literalmente crucificados con Cristo. Para la gran mayoría de los presentes, ésta era la primera oportunidad que tenían de poder abrir sus corazones sin importarles la opinión de aquellos que los rodeaban. Cuando culminó el encuentro, ninguno de ellos tenía el mismo rostro. Había un brillo en sus caras, sentían que sus dudas habían sido disipadas, sus temores habían sido conquistados, sus interrogantes habían sido respondidos y sus cargas habían sido quitadas. Las vidas de estos hombres, desde entonces, han sido transformadas, y la gran mayoría de ellos permanece dentro del ministerio.

HEREDANDO EL ESPÍRITU DE TEMOR

"No sientas temor" fueron las primeras palabras del rey.

David pudo entender que este hombre había heredado el espíritu de temor que había en su abuelo Saúl. A éste, Dios le había confiado la misión de hacer guerra contra Amalec, encomendándole no tener misericordia de este pueblo y destruirlo absolutamente todo. Dios quiso usar a Saúl para ejecutar el juicio ya declarado contra este pueblo, pero Saúl, por temor al pueblo de Amalec, obedeció parcialmente la orden divina, perdonando lo mejor del rebaño, y también la vida de su rey (1 Samuel 15:8, 9).

El profeta Samuel, bastante molesto por su desobediencia, le dijo: "Déjame declararte lo que Jehová me ha dicho esta noche. Y él le respondió: Di. Y dijo Samuel: Aunque eras pequeño en tus propios ojos, ¿no has sido hecho jefe de las tribus de Israel, y Jehová te ha ungido por rey sobre Israel?" (1 Samuel 15:16-17).

EL ESPÍRITU DE INFERIORIDAD Y DE TEMOR

Toda la raíz del problema de Saúl tuvo origen en que él tenía un bajo concepto de sí mismo. Aunque todos los que lo rodeaban lo alababan por su estatura -ya que era más alto y también el más hermoso de todos en Israel-, él se sentía la persona más insignificante del mundo. Posiblemente, ésta sea la causa por la cual se sintió indigno de quitarle la vida al rey Agag. Tal vez, en su corazón tenía una profunda admiración por él. Este motivo dio lugar al temor, y el temor lo controló durante toda su vida. Cometió toda clase de torpezas que lo fueron llevando más y más a la destrucción. Por causa de esto, Dios se apartó de él y un espíritu malo lo atormentaba. Luego, sintió celos de David, su mejor líder, y comenzó a perseguirlo para matarlo, mas Dios nunca lo entregó en sus manos, antes, por el contrario, fue David quien le perdonó la vida al rey en varias ocasiones. El rey Salomón sabiamente dijo: "El temor del hombre pondrá lazo" (Proverbios 29:25). El temor, más que una sensación, es la manifestación de un espíritu demoníaco; pero, al recibir la Palabra de Dios, ésta nos hace libres.

La maldición de Saúl pasó a sus otros hijos, quienes murieron ese mismo día en batalla; pero el espíritu de temor, de inferioridad, de fracaso y de miseria pasó a ser parte de la vida de su nieto Mefi-boset, a quien David le extendió su misericordia para que recibiera el trato como de un hijo del rey.

RECIBIENDO LA GRACIA

"...porque yo a la verdad haré contigo misericordia..." (2 Samuel 9:7).
La gracia es el favor inmerecido de Dios para con cada uno de nosotros; no es una paga que alguien pueda recibir por algo que hubiese hecho. La gracia dignifica a las personas, eleva su nivel de vida, los hace vivir en familia y logra que todas las bendiciones revivan nuevamente para ellos.

David entendía lo que era la gracia porque, cuando Dios lo llamó para ungirlo, ni siquiera su propio padre Isaí se tomó la molestia de invitarlo, dado que lo veía menos que a sus otros hijos. David fue tomado de en medio de las ovejas y puesto como rey sobre el pueblo de Israel en lugar de Saúl, quien, por su desobediencia, fue desechado.

La gracia de Dios viene sobre nuestras vidas aun cuando sentimos nuestra incapacidad para actuar por nosotros mismos. El apóstol San Pablo dijo: "Mas Dios muestra su amor para con nosotros, en que siendo aún pecadores, Cristo murió por nosotros" (Romanos 5:8).

TE DEVOLVERÉ LAS TIERRAS

Aunque Mefi-boset era el nieto de un rey, vivía como un mendigo; pero al ser restaurado por David, todas las tierras de su abuelo le fueron devueltas. Tal vez usted diría: "Yo no las puedo recibir porque me siento indigno, soy poca cosa y no lo merezco; he hecho tantas cosas malas en esta vida que el favor lo debe recibir alguien que sea mejor de lo que yo soy". Por otro lado, quizás podría decir: "Mis líderes espirituales me enseñaron que para mantenerme en humildad debía vivir siempre en pobreza".

Cuando el favor de Dios nos alcanza, Dios restaura sus bendiciones sobre nuestras vidas. "¡Desde este día te prosperaré!". En otras palabras, el Señor le está diciendo: "Todo lo que el adversario te quitó, yo te lo restituiré".

EL REPOSO ECONÓMICO

Con Claudia, mi esposa, siempre hemos sido muy felices, pero los primeros seis años de matrimonio tuvimos que librar muchas batallas en el área financiera. Era consciente de las promesas de Dios en su Palabra, las que dio para cada uno de sus hijos, pero las veía muy lejos de mi vida. Por más empeño que pusiéramos en el trabajo, por más que nos esforzábamos, no veíamos la bendición. Un día le dije al Señor: "Dios, quiero entrar en la prosperidad. Por favor, ayúdame". Inmediatamente, su Espíritu me sorprendió con una revelación que vino a mi vida: "En seis días Dios hizo los cielos y la tierra, y en el séptimo descansó. Han sido seis años de pruebas económicas y entras en el séptimo, en el año del descanso. Pues, desde ahora, vendrá la prosperidad a tu casa". Yo, en realidad, no sabía cómo iba a venir. No obstante, luego Dios, en su gran misericordia, me reveló que todo el problema económico no era ni por mi posición social, ni por mi trabajo, sino porque había un demonio llamado ruina que devoraba todo lo que hacíamos. Mis ojos espirituales se abrieron y entendí que estaba peleando contra una fuerza espiritual que se debería vencer en el plano espiritual. Luego que reprendimos el espíritu de ruina, le pedí al Señor por una renovación en mi mente, y la prosperidad vino en un solo momento, cuando yo lo creí.

Debemos entender que la prosperidad viene, no por la empresa en que nos encontremos, por el trabajo o por las posibilidades, sino que llega a nuestra vida cuando lo creemos. Todas las riquezas de Dios están a su alcance. Solamente necesita extender su mano, tomarlas y decir: "Señor, creo que son para mí".

TE SENTARÁS A MI MESA

David le dijo a Mefi-boset: "Comerás el pan conmigo". Si alguien que debía estar a la mesa del rey no se presentaba, debía ser por causa de enfermedad, por una tragedia, o por obediencia a alguna orden del rey. Nadie podía estar ausente sin justificación.

La Biblia dice: "Preparas banquete para mí en presencia de mis angustiadores". Dios, nuestro Rey, ya ha preparado un gran banquete para cada uno de nosotros. De la misma manera que el nieto de Saúl fue convidado por David, cada uno de nosotros hemos recibido una invitación. El Rey nos ha invitado a sentarnos a su mesa, nos ha invitado a la intimidad con Dios a través de la oración. Él anhela ver nuestro rostro cada día. Hemos sido llamados a su mesa, y podemos hablar con Él cara a cara, y disfrutar de la abundancia de su mesa. Allí podemos escuchar su voz.

Mefi-boset no tenía nada, pero halló gracia ante los ojos del rey, y fue aceptado y prosperado dentro del seno de la familia real. Así es nuestro Dios, sus bendiciones están disponibles y son reales, y al igual que un padre amoroso, nos dice: "Cosas que ojo no vio, ni oído oyó, ni han subido al corazón del hombre, son las que Dios ha preparado para los que le aman" (1 Corintios 2:9).

¿QUÉ PIENSA DE USTED MISMO?

"¿Quién es tu siervo, para que mires a un perro muerto como yo?" (2 Samuel 9:8).

Creo que no hay nada más lamentable que una persona sintiéndose como algo que apesta, y pensando que todos los demás sienten repulsión por ella. Una de las cosas más repugnantes que puede haber es el olor hediondo que sale de un perro muerto. Que Mefi-boset use esta comparación para identificarse con ella es una muestra del estado espiritual y emocional deplorable en que se encontraba. Una persona en esas circunstancias pierde el espíritu de conquista y se hace a la idea de que es un fracasado. Mefi-boset llegó a aceptar esa idea, posiblemente por causa de las personas que le rodeaban. Aunque era el nieto del rey y tenía una solvencia económica, por causa de su invalidez y del ambiente de fracaso en que vivía, llegó a creer que su vida era una completa equivocación. Esa idea de que era un perro muerto no podía haber venido de Dios. Entonces, ¿de quién vino? Un enemigo ha hecho esto. Satanás suelta semillas de pensamientos en las mentes de las personas. El mejor terreno para que estas puedan germinar son las vidas de aquellos que han sido azotados por diferentes adversidades o expuestos a grandes pruebas. Pues el fuego de la prueba, o purifica y consume haciendo que las personas se apoyen completamente en Dios para darle a Él toda la gloria, o por el contrario, conduce a caer en depresión y a esperar la muerte.

¿QUÉ HACER CUANDO NO HAY ESPERANZA DE VIDA?

Piense en el estado anímico y emocional en que quedó una de las parejas que pertenece a nuestra iglesia cuando fueron a una consulta médica por causa de un problema que el esposo estaba sufriendo en sus músculos, y el médico les dijo: "Hagan todos los preparativos necesarios pues usted de esta semana no pasa. Posiblemente fallezca mañana mismo". Como podrá imaginar, se sintieron que el mundo se caía sobre ellos. En momentos como estos es cuando las personas son o más propensas a recibir las semillas de la Palabra de Dios, o más proclives a aceptar el engaño del adversario. Algunos, en situaciones como estas, llegan a pensar que Dios les falló, y que toda su consagración a Él fue sólo tiempo perdido. Si el enemigo logra que acepten esa idea, ya tiene una gran ventaja sobre sus vidas. Pero, por otro lado, podemos creer a las promesas de Dios y aferrarnos a ellas, reclamándolas de todo corazón, sabiendo que el Señor extenderá su misericordia y los milagros más extraordinarios sucederán. Aquella pareja escogió creerle a Dios, y ese mismo día pude reunirme con ellos y tomar autoridad sobre todo espíritu de enfermedad. Lo reprendimos en el Nombre de Jesús. La pareja se fue gozosa a su casa, descansando en las promesas de Dios; y aquella semana en la que el médico dijo que él moriría fue la semana donde recobró completamente su salud. Esto hace ya más de quince años. Hoy en día, ambos están involucrados en el ministerio, ejerciendo el pastorado y siendo bendecidos poderosamente por Dios.

Es interesante destacar que David no trató a Mefi-boset de la manera como éste se sentía, sino que le dio el mismo trato que le daba a cada uno de sus hijos (2 Samuel 9:11).

Capítulo 9

Enséñeles que han Heredado Bendición

*«Y haré de ti una nación grande, y te bendeciré, y
engrandeceré tu nombre, y serás bendición».*
Génesis 12:2

UN RELOJ EN MANOS DE DIOS

Cuando escuchamos la palabra herencia pensamos en bienes
materiales que pasan de una generación a otra; pero hay una herencia
que es mucho más valiosa que ésta, y es la herencia de la bendición.
Para ser partícipes de ella tenemos que llenar ciertos requisitos que
para Dios son indispensables, tales como la fidelidad, el respeto, el
compromiso, la obediencia y el desprendimiento de aquello que
puede ser un obstáculo para nuestras vidas.

Podemos aferrarnos al ministerio, a la reputación, o a algún bien
material. Es muy fácil decir de los labios hacia afuera que amamos a
Dios y que estamos dispuestos a darle todo lo que Él nos pida pero,
cuando lo demanda, nos confundimos pensando: "Señor, Tú nunca
me pedirías eso. Este no es Dios hablándome, es sólo el efecto de mi
imaginación".

Aquello que usted más ama es lo que Dios le pedirá. El Señor me
hizo una pregunta en un tiempo en que la iglesia fluía de manera
muy especial en la adoración. La gloria de Dios había descendido y
me encontraba postrado, adorando al Señor. En ese momento, el
Espíritu de Dios comienza a hablar a mi corazón y me dice:

- "De lo que tienes, ¿qué es lo que más amas?".

Le contesté:

- "El ministerio"

- "Si te pidiera el ministerio, ¿tú me lo darías?"

- "Amén Señor, todo lo que me pidas es para ti. Todo es tuyo, Padre"

Luego me hizo otra pregunta:

- "De las cosas que tú tienes, ¿cuál es la que más amas?"

Entonces entendí a dónde me estaba guiando el Señor, y le dije:

- "Mi reloj"

Ese reloj se lo había comprado a un amigo a un precio más bien simbólico, porque él quería que me perteneciera. Me dijo que era un reloj de colección y que si llegara a encontrar uno similar, su precio no sería inferior a los veinticinco mil dólares. Yo pensé que este hombre estaba exagerando pero, cuando fui a preguntar el precio, efectivamente ratificaron lo que ya me había dicho. Mi aprecio hacia el reloj cambió cuando supe su valor real. Este objeto vino a ser como mi Isaac, y Dios se dio cuenta que lo estaba amando mucho.

Al día siguiente, estábamos nuevamente en adoración. La gloria de Dios había descendido y de pronto oigo una voz que me dice:

- "Hijo, quiero tu reloj"

Quedé tan sorprendido por esa palabra que llegué a pensar que era todo sugestión mía. Y dije:

- "Señor, tomo autoridad y ato este pensamiento"

Transcurridos unos minutos, oigo de nuevo la misma voz que me dice:

- "Hijo, quiero tu reloj"

Pensé que la atmósfera de aquel lugar estaba cargada, y sensaciones extrañas pasaban por mi mente. Me costaba aceptar que en realidad Dios me estuviese pidiendo mi Isaac. Luego, vino otra vez la voz:

- "Hijo, ¿me vas a dar el reloj, sí o no?"

Y dije:

- "¡Oh Señor, es tu voz! Toma, el reloj es todo tuyo"

Luego, Él me indicó a quién debía entregárselo. Era uno de los conferencistas. Cuando me acerqué a él y le entregué el reloj, este hermano me miró con gran sorpresa y me dijo:

- "¿Por qué esto?"

Le contesté:

- "Tómalo como un obsequio de parte del Señor"

Tres años después, estábamos en la iglesia adorando al Señor y descendió el poder de Dios, y escuché su voz decirme:

- "Hijo, ¿te recuerdas de aquel reloj?"

Yo le dije:

- "Señor, ¿cómo me voy a olvidar?"

- "Déjame enseñarte algo. Si no me hubieses dado el reloj, te hubiera pedido el ministerio".

En aquel instante, por poco me desplomo. Ese día entendí que el reloj no tenía ningún valor comparado al ministerio. Dios me estaba probando en algo muy pequeño, y si no hubiera sido fiel en eso, me hubiera pedido lo grande, que es el ministerio. Dios nos prueba en cosas pequeñas antes de confiarnos lo que es grande; nos prueba en lo material antes de confiarnos lo espiritual.

DIOS DE ABRAHAM

Abraham es un ejemplo perfecto de lo que es un verdadero padre que logra levantar una generación para Dios.

"Dijo Dios a Moisés: Así dirás a los hijos de Israel: Jehová, el Dios de vuestros padres, el Dios de Abraham, Dios de Isaac y Dios de Jacob, me ha enviado a vosotros. Este es mi nombre para siempre; con él se me recordará por todos los siglos" (Éxodo 3:15).

"Pero Jehová había dicho a Abram: Vete de tu tierra y de tu parentela, y de la casa de tu padre, a la tierra que te mostraré. Y haré de ti una nación grande, y te bendeciré, y engrandeceré tu nombre, y serás bendición. Bendeciré a los que te bendijeren, y a los que te maldijeren maldeciré; y serán benditas en ti todas las familias de la tierra" (Génesis 12:1-3).

Abraham representa la fe, y vino a convertirse en el padre de la fe. Dios se agradó tanto de la vida de este hombre que decidió entrar en pacto perpetuo con él y con su descendencia. Si tomamos su ejemplo, debemos entender que Dios demanda que tengamos cierto grado de fe para que Él pueda entrar en pacto con nosotros y con nuestros discípulos. Pero para que esto pueda llegar a ser una realidad, primeramente Él debe limpiarnos en las diferentes áreas de nuestra vida donde posiblemente fuimos contaminados, y guiarnos en un profundo proceso de santificación por medio del cual cobren vida todos los valores espirituales.

HEREDEROS DE LAS PROMESAS

La tierra que Él nos quiere entregar en posesión es la tierra de las promesas bíblicas, las cuales ha preparado para nosotros y nuestros discípulos. Pero, para conquistarlas, se requiere del mismo espíritu de fe que tuvo Abraham, quien le creyó a Dios y le fue contado por justicia, y vino a ser amigo de Dios. Creyó en esperanza contra esperanza, toda su confianza estaba puesta en Dios. Por ello, él no se detenía a mirar la realidad que lo rodeaba. La esperanza humana era muy débil, porque todas las circunstancias estaban en su contra, pero él aprendió a fortalecerse en Dios y a llamar las cosas que no son, como si fuesen (Romanos 4:17-18). Abraham no sólo lo creía en su mente, sino que lo confesaba haciendo uso del poder de la palabra hablada. Pasaba noches enteras mirando las estrellas y llamaba a su descendencia; no sólo veía los rostros de sus descendientes sino que también les daba nombres; y por esta confesión pudo dar vida a naciones enteras, porque las personas que están más cerca del corazón de Dios son aquellos que tienen la capacidad de creer.

DECIDA CAMINAR POR LA SENDA DE LA FE

Este fue el único medio por el cual Abraham pudo agradar a Dios, viniendo a ser partícipe de la naturaleza divina. Esta vida de fe le abrió las puertas y le mostró el camino que lo llevó al éxito. La fe le dio la fuerza para superar todos los obstáculos que había encontrado en su larga trayectoria por esta vida. Esta fe se convirtió en el puente que le ayudó a atravesar el abismo de separación que había entre lo posible y lo imposible.

LA FE NOS REJUVENECE

A través de la fe, Abraham y Sara pudieron beber del manantial de la vida que los rejuveneció y los hizo vigorosos, de tal modo que un rey quiso tomar a Sara por esposa, quien tendría más de setenta y cinco años de edad. Si Sara existiera en los días de hoy, sería una de las mujeres más solicitadas para poder obtener de ella la fórmula de la eterna juventud.

VISIÓN DE LA CIUDAD CELESTIAL

También pudo volar envuelto en las alas del Espíritu. Recorrió la ciudad celestial, cuyo arquitecto y constructor es el mismo Dios. Con esta revelación, pudo vivir como peregrino en esta tierra, y logró mantener siempre sus ojos puestos en el galardón.

DEJÓ HERENCIA

También, por esa misma fe, pudo dejar bendición para su simiente; y ya que Cristo es la simiente de Abraham, si nosotros somos de

Cristo, ciertamente linaje de Abraham somos y herederos según la promesa.

Las promesas dadas por Dios a Abraham son también para nosotros, y sólo por la fe en su Palabra podemos hacer nuestras cada una de las promesas dadas al patriarca.

VIO A SU DESCENDENCIA

Del mismo modo que Abraham logró imprimir en su mente las imágenes claras de su descendencia, también nosotros podemos, con la misma fe, dar vida a aquellos cuadros que hayamos logrado plasmar en nuestro corazón. Lo que se logre pintar con el pincel de la fe aquí en la tierra, será aceptado por Dios allá en los cielos. Porque, además de nuestros ojos físicos, Dios nos ha dado también ojos espirituales. Si logramos desarrollar nuestra visión espiritual, podremos ver claramente que los más grandes milagros son obrados por el mismo Dios. Al respecto, el apóstol Pablo dijo: "No mirando nosotros las cosas que se ven, sino las que no se ven; pues las cosas que se ven son temporales, pero las que no se ven son eternas" (2 Corintios 4:18).

Una vez que logramos determinar con claridad el milagro que necesitamos conquistar y podemos verlo nítidamente en nuestro corazón, sólo tendremos que desatar la palabra de autoridad para que éste sea reproducido de una manera exacta en el plano natural. Porque todo aquello que nosotros logremos visualizar en el mundo espiritual será una gran realidad en el plano natural. Siempre lo espiritual prima sobre lo natural.

DEPENDIENDO TOTALMENTE DE DIOS

Si usted permite que la fe se desarrolle en su corazón, se asombrará de las cosas que será capaz de creer y conquistar. La palabra fe posee tanto poder que las cosas que parecen imposibles son alcanzadas y conquistadas a través de ella. Pero, si es tan importante, ¿por qué muchos no se preocupan por tenerla? La vida de fe demanda una dependencia absoluta de Dios, y esa es la parte difícil para muchos, pues ellos mismos quieren recibir los honores por sus logros.

Pero en el mundo de la fe, la gloria de las grandes hazañas la recibe única y exclusivamente Dios. Sólo llegamos a ser partícipes de la naturaleza divina cuando nos lanzamos a caminar por la senda de la fe. Quien no camine por ella, no podrá agradar a Dios.

DIOS DE ISAAC

Isaac representa la promesa. Dios había prometido que en Isaac sería llamada la descendencia. Isaac es un prototipo de los hijos dados por Dios.

Algo que hemos experimentado a nivel ministerial es que aquellos hijos espirituales que hemos logrado concebir en oración, vienen a ser tan íntimos como si fuesen nuestros hijos verdaderos. Del mismo modo que Isaac produjo risa a sus progenitores, también aquellos a quienes hemos concebido espiritualmente traen gran satisfacción a nuestras vidas. Isaac recibió todos los beneficios de su padre; disfrutó de la herencia tanto espiritual como material que él le había dejado. Si pudiéramos buscar una definición para poner como ejemplo en lo concerniente a la vida de Isaac, esta sería: "desprendimiento de aquello que más amamos", porque de todas las pruebas que tuvo Abraham cuando Dios le pidió a su hijo en sacrificio, ésta vino a ser la prueba más difícil.

UN TESTIMONIO POCO COMÚN

Al regresar de un encuentro de parejas, tuvimos una reunión de bienvenida en un hotel donde se hicieron presentes algunos de los familiares de aquellos que habían asistido al encuentro. Uno de los hombres tomó la palabra para testificar lo que Dios había hecho en esos tres días. Aunque era muy nuevo en la vida cristiana, estaba muy emocionado contando el milagro de su matrimonio, pero por la manera como él testificaba, pude notar que había algo de su vida pasada que él aún no había soltado. En su matrimonio, él tenía sólo hijos varones, pero dieciocho años atrás había conocido a una mujer, y de esa relación vino una niña. Desde entonces, la vida de este hombre se partió en dos porque amaba a su familia, pero también se sentía responsable con aquella otra mujer y su hija. El testimonio que él daba era: "Queridos amigos, por dieciocho años mantuve una relación extramatrimonial, y de esa unión nació una niña. En este encuentro pude renunciar a aquella mujer, aunque ella ha sido siempre muy buena, abnegada y sufrida, que ha estado siempre pendiente de mi hija y me ha soportado por tantos años. Pero en este encuentro decidí renunciar a ella". Como podrán notar, el corazón de este hombre estaba bastante ligado al de esta mujer. Con Claudia sentíamos pena por su esposa mientras él estaba testificando, porque veíamos que para él, la mujer buena y abnegada no era la esposa sino la otra.

SUELTA EL CENTAVO

Después de que culminó la reunión, lo llamé aparte con la intención de que él comprendiera su equivocación.

Comencé con una ilustración y le dije: «En una ocasión, un niño jugaba con una moneda de un centavo y ésta cayó dentro de un jarrón. Estos, aunque en el interior son anchos, en la parte superior son bien angostos. Cuando el niño quiso sacar su centavo del jarrón, por tener el puño cerrado, su mano no le salía. Empezó a gritar: «Papá, papá, no puedo sacar mi mano del jarrón». El padre se acercó, lo miró y le dijo: «Hijo, es muy sencillo, simplemente tienes que abrir tu mano y sin ningún problema la sacarás». Entonces el niño rápidamente le respondió: «Papá, es que si abro mi mano se me va a caer el centavo». Entonces el padre sacó un billete de su bolsillo y le dijo: «Hijo, esto vale más que el centavo. Abre la mano y te doy el billete». Pero el niño repetía: «No, yo quiero mi centavo».

Luego le dije a este hombre: «Por el testimonio que dio, aún no ha soltado el centavo, pues su vida está todavía muy ligada a la de esa mujer. Si toma la decisión de soltar esta relación, Dios tiene preparada una mejor bendición para su vida; y podrá redimir el tiempo que les ha negado a su mujer y a sus hijos».

Aunque le tomó algún tiempo desprender de su corazón esta relación, al fin lo pudo hacer. Hoy en día, tanto él como su familia sirven al Señor dentro de la iglesia; y Dios los ha usado mucho en la consejería de matrimonios.

Por lo general, Dios nos pide todo aquello que es un impedimento en nuestra vida y ministerio, pero al hacerlo, se produce un cambio en nuestras vidas. Dios transforma todas nuestras debilidades en fortalezas, y usa aquello que nos avergonzaba para bendecir a otros.

EL DIOS DE JACOB

Desde el vientre de Rebeca, Jacob y Esaú estaban luchando, posiblemente por cuál de los dos iba a nacer antes. El primero en salir fue Esaú, pero Jacob nació tomando a su hermano del calcañar. Esaú era rojizo, y su nombre fue Edon, que significa rojo. Mientras que a su hermano le pusieron el nombre de Jacob, que significa el que toma del calcañar, o el que suplanta.

Jacob, al nacer, se encontró en desventaja con relación a su hermano dado que sus padres ya habían trazado el destino de ambos, y a Jacob no le había tocado la mejor parte. El nombre de suplantador no tiene mucha diferencia con el de usurpador, por eso Isaac, desde un principio, inclinó su corazón hacia el mayor.

Cuántos han venido a este mundo sin llegar a ser los más importantes pues sus hermanos vinieron a ser los preferidos para sus padres y han tenido que conformarse con ocupar el segundo lugar. Sus propios padres hicieron la diferencia entre unos y otros; en algunos casos, aun poniendo a los otros hermanos como ejemplo y pidiéndoles que sean como ellos. Cada persona es diferente la una de la otra, no existe ni siquiera dos seres iguales. Por más que uno intente imitar al otro, nunca lo igualará, porque no existen dos seres iguales.

EL NOMBRE DETERMINA EL DESTINO

Una pareja de la congregación tuvo su hija, la cual nació prematura, de sólo seis meses. Por varias semanas estuvo en la incubadora, pero la niña permanecía inflamada e hinchada. Ellos le llamaban Emely. La mejoría era muy lenta. Estaban frente a una situación muy difícil. El papá todos los días iba a la clínica, estaba pendiente de ella, le daba palabras de ánimo como: «Emely, te vas a poner bien", "Emely, tú eres una bendición", "Mi Emely, el Señor te va a sanar". Y aunque él le hablaba a la niñita, ella no daba muestras de mejoría. Un día se percató de investigar el significado del nombre Emely y, para asombro suyo, significaba "inflamada e hinchada". Dijo: "Dios mío, perdóname por haberle puesto ese nombre a mi hija". Por eso era que la niña no experimentaba mejoría, porque el papá todos los días le decía: "Mi inflamada y mi hinchada, ¿cómo estás?", "Mi inflamada y mi hinchada, el Señor está contigo". Al recibir esta revelación, renunció a ese nombre y lo cambió por Valentina, que significa "esforzada y valiente". El mismo día que comenzó a llamarla Valentina, se desinflamó, se deshinchó y comenzó la mejoría. La pediatra que estaba atendiendo a la niña le dijo al padre: "Es el primer caso que conozco que el cambio de nombre transforma para bien a una criatura".

JACOB, EL HOMBRE QUE SÍ VALORÓ LA PRIMOGENITURA

Cada vez que alguien lo llamaba o lo saludaba, le recordaba que él era el que toma por el calcañar. Jacob se hizo a la idea de que esa era su naturaleza, y un día aprovechó el hambre de su hermano para para cambiarle un plato de guisado por su primogenitura.

Ser el primogénito equivalía a ser el heredero legal de la familia, y era sobre quien posaba la bendición para la descendencia.

Dios debería ser conocido como el Dios de Abraham, de Isaac y de Esaú, pero como Esaú vendió su primogenitura por un plato de lentejas, Dios sería recordado como el Dios de Abraham, de Isaac y de Jacob. Usted tiene un derecho de primogenitura. Ese derecho se obtiene cuando entregamos el corazón a Jesús y nos constituimos en hijos de Dios.

VALORÓ LA BENDICIÓN

Cuando Isaac era un anciano, de edad ya muy avanzada, y sentía que su tiempo se acortaba en esta tierra, decidió entregar la herencia de la bendición que había recibido de Abraham su padre a su hijo Esaú. Jacob, astutamente, tomó el lugar de su hermano y se apropió de toda la bendición. Su padre lo bendijo diciéndole: *"El olor de mi hijo es como el de un campo bendecido por el SEÑOR. Que Dios te conceda el rocío del cielo; que te sirvan los pueblos; que ante ti se inclinen las naciones. Que seas señor de tus hermanos; que ante ti se inclinen los hijos de tu madre. Maldito sea el que te maldiga y bendito el que te bendiga"* (Génesis 27:27-29 NVI).

Luego, Esaú imploró a su padre que lo bendijera también a él, pero ya no había más bendiciones. Aunque insistió, la bendición que obtuvo fue: *"Vivirás lejos de las riquezas de la tierra, lejos de la vegetación; por tu espada vivirás y a tu hermano servirás"* (Génesis 27:39-40 NVI).

LA BENDICIÓN ESTÁ MUCHO MÁS CERCA
QUE LA MALDICIÓN

Por causa de esto, Esaú juró que después de que muriera su padre mataría a su hermano. Jacob tuvo que huir por temor a Esaú. Años después, Jacob recibe la noticia de que su hermano venía a encontrarse con él. Esaú pensaba vengarse de todo el rencor que le tenía a su hermano, y aquella fue una noche de mucha angustia para Jacob, pues sabía que su hermano llegaba para tomar venganza, y 400 hombres venían con él. Jacob presentía el peligro pues sentía la opresión en el mundo espiritual. Hizo que la familia atravesara un vado. Él quedó solo, y se le apareció un varón con el cual empezó a luchar. Pero era tal el desespero de Jacob por su situación que, por más que el ángel le rogó que lo soltara, no lo hizo hasta que lo bendijo. Jacob sabía que la maldición venía a todo galope para encontrarse con él, pero también sabía que ese ángel era una personificación de Dios, y solamente era Él quien podía cambiar las circunstancias.

LA BENDICIÓN ESTÁ MUY CERCA DE TI

Debemos entender que la bendición está más cerca que la maldición simplemente perseverando, apropiándonos de ella y haciéndola nuestra. Aquella noche, Jacob comenzó a mirar el rostro del ángel, y cuando lo estaba contemplando, percibió el cambio. A través del rostro del ángel pudo ver claramente que todas las circunstancias eran transformadas; que la ira, el odio y la venganza desaparecían de su hermano. Pudo ver que toda esa nube de demonios que se movía, trabajando y oprimiendo la mente de su hermano, era quebrantada por el poder de Dios, y venían ángeles trayendo pensamientos de paz, de perdón y de reconciliación.

LA BENDICIÓN NOS CAMBIA EL NOMBRE

El ángel primero le pregunta: "¿Cuál es tu nombre?". Y luego el varón le dijo: "No se dirá más tu nombre Jacob (Suplantador), sino Israel (Príncipe con Dios); porque has luchado con Dios y con los hombres, y has vencido".

SOMOS TRANSFORMADOS EN SU PRESENCIA

La experiencia vivida aquella noche tuvo su repercusión al día siguiente cuando se encontró con su hermano Esaú. Él le dijo: "Porque he visto tu rostro, como si hubiera visto el rostro de Dios, pues que con tanto favor me has recibido" (Génesis 33:10b).

Para que Jacob pudiera llegar a ser un hombre espiritual, por medio de la oración tenía que experimentar un desprendimiento que separara su naturaleza espiritual de la natural; y esto, Dios sólo puede hacerlo cuando hay una determinación firme de servirle de acuerdo a sus parámetros.

Así como el gusano tiene que desprenderse de su vieja naturaleza para poder convertirse en mariposa, cada creyente tiene que desprenderse de todo aquello que lo detiene u obstaculiza en su desarrollo espiritual. Pablo, en su carta a los Corintios, da a conocer que ésta debe ser la experiencia de todos los creyentes: "Por tanto, nosotros todos, mirando a cara descubierta como en un espejo la gloria del Señor, somos transformados de gloria en gloria en la misma imagen, como por el espíritu del Señor" (2 Corintios 3:18).

Debemos reconocer esta verdad, que a medida que estemos en la presencia de Dios, experimentaremos una transformación, una metamorfosis.

Dios nos ayudará a desprendernos de aquellas actitudes que han causado grietas en nuestro carácter. Pero esto solamente se puede lograr con la ayuda del Espíritu de Dios.

JACOB Y EL GOBIERNO DE LOS DOCE

Jacob representa el gobierno de los doce. En Jacob se consolida el pueblo de Israel a través de sus doce descendientes, que vinieron a ser las doce tribus. Pero Dios tuvo que moldear profundamente la vida y el carácter de este hombre para que luego la bendición se pudiera extender a través de cada uno de sus hijos. Pues, fue a través de los doce que vino la gran multiplicación, como las estrellas del cielo.

Capítulo 10

FORME LÍDERES DINÁMICOS

*"Y su señor le dijo: Bien, buen siervo y fiel; sobre poco has sido fiel,
sobre mucho te pondré; entra en el gozo de tu señor".*
Mateo 25:21

Involucrarse y ser parte del ministerio es uno de los honores más grandes que puede experimentar cualquier ser humano. No hay nada que se pueda comparar al ministerio, ni los logros profesionales, personales o económicos; ninguna clase de éxito, por grande que parezca, superará el honor de ser llamado al ministerio. Al conocer íntimamente el corazón de Dios, podemos comprender más fácilmente la misión que Él nos ha confiado en esta tierra, aunque antes de lanzarnos al minsiterio prueba nuestro corazón.

Cada uno de nosotros somos como un diamante que necesita ser pulido.

Días atrás un amigo me contaba cómo es el proceso de refinación del diamante. Captó en gran manera mi atención saber los cuatro pasos fundamentales en el proceso de esta piedra preciosa, ya que encontré un gran paralelismo con la obra que Dios debe realizar en la vida de aquellos que llama al ministerio.

Los cuatro pasos son:

1. Cortarlo.
2. Pulirlo.
3. Buscar la mayor claridad posible.
4. Montar la piedra. Lo cual debería hacerse en un lugar con altura, donde la luz lo alcance por arriba y por debajo.

QUEBRANTAMIENTO (Cortar el diamante)

Los expertos acerca de este tema son los judíos, y el experto en quebrantar vidas es el Señor Jesús, porque Dios sabe cuándo alguien está desviando su corazón fuera del camino. Muchos al llegar a la vida cristiana comienzan con buenas intenciones, pero las luces de este mundo los atraen y desvían del propósito divino, y es allí cuando el Señor debe intervenir y quebrantar sus vidas y no permitir que se pierdan.

Si José no hubiera permanecido fiel cuando fue tentado por la mujer de Potifar, tal vez nunca hubiese llegado a ser ese gran hombre que dirigió la nación de Egipto. Dios siempre nos prueba en cosas pequeñas.

Todos los que están en el ministerio deben ser probados de una u otra manera, y de cómo ellos respondan, depende si Dios les confiará un pequeño o gran ministerio. Todo aquel que sirve a Jesús tiene un gran deseo de agradar a Dios en la tarea que Él le ha confiado; pero algunos al encontrar gran cantidad de obstáculos en el camino pueden sentirse tentados a abandonarlo todo. Esto sí sería un gran triunfo para el enemigo, pues él anhela quitar de en medio a todo aquel que se entregue a la tarea de rescatar las almas de su dominio. Debemos entender que el Señor permite que seamos atacados por el enemigo, quien puede venir hacia nosotros con diferentes clases de pruebas, mas esto Dios lo usará como parte de nuestra formación.

El quebrantamiento es la universidad por la cual Dios nos permite atravesar, para que la vida de Cristo pueda nacer dentro de nosotros. "Si el grano de trigo no cae en tierra y muere queda solo, pero si muere da mucho fruto". De nada nos serviría ser como hermosos granos, cumplir con nuestros deberes espirituales y llevar una vida familiar adelante si no hemos pasado por el quebrantamiento; pues el quebrantamiento es la señal que permite demostrar que hemos nacido a una nueva vida con Cristo. Nadie anhela atravesar por pruebas y dificultades, pero Dios usa las adversidades para moldear nuestro carácter.

Cuando fuimos a Italia visitamos Venecia. Allí nos llevaron a conocer, en una isla, un lugar donde trabajan el cristal de murano. Uno de los obreros nos mostró como desarrollan la actividad. Este es el proceso: ponen el cristal en hornos de muy altas temperaturas, el cristal comienza a arder como si fuera una bola de fuego, luego el artesano lo saca, y en cuestión de segundos lo moldea dándole la forma que desea. Yo entendí que así sucede con el fuego de la prueba. A veces Dios permite una situación desesperante para que la persona doblegue su orgullo, haga a un lado la confianza en sí mismo y se abra por completo a Dios y le diga: "toma mi vida y trata con ella como deseas". Cuando llegamos a momentos como estos podemos compararnos con ese cristal que acaba de salir del horno de fuego, y el Espíritu Santo nos toma en sus manos y nos moldea dándonos la forma que Él anhela.

Debemos entender que de las grandes adversidades, es de donde extraemos las más grandes experiencias. Un momento difícil con un hijo, una enfermedad, una crisis económica, un conflicto conyugal son pruebas que en las manos de Dios se convierten en grandes bendiciones. O acaso ¿La adversidad significa que Dios nos ha fallado? Nada puede estar más lejos de la verdad que esto; pues es necesario pasar por ella, para comprender que Dios nos quiere llevar a un nuevo nivel de fe, que nos ayudará a madurar.

Posiblemente usted se pregunta: ¿Por qué he tenido que atravesar tantas dificultades durante tanto tiempo? La respuesta es muy sencilla: Dios quiere hacer de usted una preciosa joya que demuestre el carácter de su Hijo. Dios le quiere llevar a un nuevo nivel de fe donde usted fluya continuamente en su bendición. Usted es un hermoso diamante y Dios lo está cortando.

EL TRATO DE DIOS CON EL LÍDER (Pulirlo)

Para que el diamante tenga ese brillo especial que lo caracteriza en cada uno de sus lados debe ser pulido. ¿Qué es lo que hace el Espíritu Santo en la vida de las personas? Las pule, quita las asperezas que hay dentro de ellos, les enseña que pueden brillar en cada área y faceta de su ser.

Cuando Dios me habló acerca del ministerio, ese mismo día me dio el orden de prioridades que debía tener. Me dijo:

El número uno en tu vida debe ser Dios

Muchos creen en Dios pero no viven enamorados de Él. Lo que el Señor me estaba enseñando era que yo debía vivir enamorado de Él. Creer en Dios no es suficiente, los demonios creen en Él y tiemblan. Dios quiere que le amemos con toda nuestra mente, alma y fuerzas, que desde el instante que nuestros ojos se abren cada mañana le digamos que estamos enamorados de Él. Desea que en cada respiración sintamos su presencia, anhela que podamos tener una intimidad estrecha con Él, y no me estoy refiriendo a la religiosidad, sino a una relación profunda con el Espíritu de Dios. Muchos por causa de la religiosidad no han logrado obtener una relación fluída con el Espíritu Santo.

En segundo lugar, tu vida es muy importante, porque es el canal a través del cual fluye mi Espíritu.

Uno debe cuidar mucho de su cuerpo, su mente, sus emociones, sus sentimientos y de todo su ser. Porque somos el instrumento, el arma en las manos de Dios y Él necesita una herramienta santificada para poderla usarla.

En tercer lugar, tu familia debe ser modelo

Dios me enseñó que no podía tener cualquier clase de familia, sino la mejor familia del mundo. Esto implicaba que yo debía amar con todo mi corazón a mi esposa, a mis hijas y ser un ejemplo para ellas. Sobre todo, darles siempre el lugar más importante, aún aquel que le daba al ministerio.

Cuando celebramos el día del padre, mi tercera hija me escribió una nota que decía: "Papi, te doy gracias porque siempre hemos tenido un lugar muy importante en tu corazón. Gracias por poner a tu familia antes que a la iglesia; si tienes que dejar cualquier actividad por nosotras, tú lo haces. Gracias por la manera en que nos has enseñado pues tú y mi madre son un ejemplo para cada una de nosotras". Aunque nosotros como líderes cristianos tenemos la gran responsabilidad de alcanzar las naciones de la tierra con el evangelio de Jesucristo, a veces nos olvidamos que tenemos una familia, y ¿de qué le sirve a usted que personas de otras naciones se salven si su familia se ha perdido?"

Recuerdo cuando Dios enfatizó esta enseñanza en mi vida. Recién estábamos comenzando la obra en Miami, en aquel momento la iglesia tendría unas doscientas personas. Un domingo llegué a la reunión a las diez de la mañana y habían llegado unas pocas personas, solo unas 30. Yo estaba por comenzar a incomodarme un poco, pues estoy acostumbrado a ver grandes multitudes. Estando allí a punto de desesperarme, comencé a adorar al Señor. Al levantar mi mirada observé: Mi hija Lorena estaba dirigiendo la alabanza, mi hija Manuela y Sara dirigiendo las danzas, mi hija Johanna estaba ministrando a unos jóvenes. En ese momento sentí la presencia del Señor y vi la bendición que era que mi familia estuviese allí, y le dije: "Gracias Señor, porque si no hubiese una persona más en este lugar, si sólo fueran mis hijas estaría satisfecho. Te doy gracias porque cada una de ellas vale más que cientos de miles de personas". Aquella mañana le agradecí al Señor porque mi familia le sirve.

Querido amigo, Dios les ha confiado la primera célula, su familia. Si usted no puede salvar su familia, cómo le va a confiar las naciones. Dios anhela traer restauración a las familias. ¿Por qué los pastores se divorcian en Estados Unidos? Porque la familia no está ocupando un lugar primordial dentro del ministerio. Volvamos al original, a lo que nos enseñó el Señor y démosle a la familia el lugar que merece.

En cuarto lugar el ministerio

Aunque la familia está antes que el ministerio, es importante enter que la familia que formamos debe ser motivada primeramente con nuestro ejemplo, para que ella luego se desarrolle también ministerialmente. Sé que en estos tiempos postreros Dios está trayendo un gran despertar espiritual en familias enteras, donde a diferencia del pasado, éstas no se conforman con sólo ser miembros pasivos de sus comunidades, sino que hay una gran pasión y anhelo en todos ellos por extender la obra de Dios.

Por último está el trabajo secular

Estas prioridades tienen un orden muy diferente a como muchos las administran, pues ponen el trabajo no sólo en primer lugar sino que también en segundo y tercero. Algunos para poder cumplir con sus obligaciones tienen tres empleos y esto les absorbe todo el tiempo, sólo pueden dedicarle pocos minutos a su familia y a Dios lo ponen en último lugar. Debemos entender que el trabajo es importante, pero cuando éste ocupa el primer lugar produce una fuerte descompensación espiritual, familiar, física y ministerial.

CUIDAR LA PUREZA DE LA VISIÓN (Claridad del diamante)

Algunos sólo se conforman con tener una idea vaga acerca de la visión. Usted no puede ser de esta clase de personas. Primero tiene que entender que esta visión es bíblica, y me refiero a la visión del gobierno de los 12. Es la estrategia del Espíritu Santo para este tiempo; ayuda al crecimiento de las iglesias y permite a cada creyente cumplir con el propósito de Dios sobre la tierra. Cada pastor y líder que desee tener éxito en su ministerio, debe convertirse en un experto en la visión, debe sumergirse dentro de ella y no permitir ninguna clase de mezclas.

Procure no tomar atajos

Algo que he observado es que algunos quieren tomar atajos, caminos que son vías más cortas, pero esto no lo podemos permitir. Cuando comenzamos en Miami yo quise tomar un atajo. Se supone que realmente conozco la visión, pero todos buscamos esos atajos y me dije un día: "La vía más fácil para desarrollar el ministerio en Miami es llevar personas que dominen la visión". Así lo hice; llevé algunos matrimonios para que trabajaran allí y les dije que ellos levantarían la obra en Miami, puesto que conocen la visión y saben responder de manera adecuada al llamado de Dios. Pensé que de esta manera guardaría mi nombre, pues si ellos no crecían sería su problema, no mío. Mas los que vinieron no se pudieron adaptar y dijeron: nos regresamos a Bogotá. Les di permiso para hacerlo sin ningún problema y comencé a observar y pensar que otras parejas podía enviar. Fue cuando el Señor me dijo que la pareja que tenía para Miami éramos mi esposa y yo. Le dije al Señor que no podía ser, que tenía mucho trabajo en Bogotá y debía responder a muchos compromisos. Dios nunca discute con uno, sólo da la orden. Me habló muy claramente, primero a mí, luego a mi esposa y a mis hijas, y dijimos: "Nos vamos a Miami".

Empezamos a trabajar allí de manera muy comprometida, Dios comenzó a revelarnos los principados de la ciudad. Por un año estuvimos quebrantando poderes demoníacos en los aires, limpiando los cielos para traer la bendición de Dios hasta que sentimos que la iglesia nació y hoy está dando fruto. Dios anhela también usar su vida para cambiar su ciudad.

Aplique la visión

Tenemos que conocer en profundidad la visión y aplicarla correctamente. Esto quiere decir que usted tiene que estudiar los libros que se han escrito al respecto de la visión. Recomendamos que todo lo que enseñamos de la visión se lleve a cabo paso a paso, aunque parezca sencillo, nada se puede obviar o dejar de lado. Los únicos que han tenido dificultades en aplicar la visión son aquellos que no han querido cambiar por completo la estructura tradicional. Aquellos que anhelen implementar la visión pura tendrán que dejar a un costado, todo aquello que han aprendido a través de los años y aplicar la visión tal cual es.

Todo líder que desea que su iglesia crezca y se multiplique debe trabajar arduamente; pues la iglesia primitiva se reunía todos los días en el templo y en las casas. Esta visión hace que toda la iglesia trabaje todos los días, todo el día, en el templo y en la casa. Es levantar un gran ejército de hombres y mujeres que son enviados a conquistar la ciudad y si se enfrentan con la oposición demoníaca en los aires, se levantan en autoridad como grandes guerreros a quebrantar los aires en el Nombre de Jesús.

EL FRUTO DA HONRA (Montar el diamante)

Cada persona que esté involucrada dentro del ministerio recibirá reconocimientos, no por la antigüedad, sino por el fruto que ha obtenido para Dios. En la parábola de los talentos el Señor no recompensó al siervo negligente que enterró su talento en la tierra y lo devolvió intacto, recompensó a aquel que lo aumentó. Dios pone en lugar de honra a los que se multiplican.

SIENDO FIELES EN LO POCO

Sabemos que las cosas de Dios van de lo pequeño a lo grandioso. Salomón lo expresó con estas palabras *"Mas la senda de los justos es como la luz de la aurora, Que va en aumento hasta que el día es perfecto" (Proverbios 4:18).*

Un ministerio no comienza con las multitudes. Tal vez usted ve muy lejos el estar predicándole a las multitudes, sin embargo la Escritura enseña que el que es fiel en lo poco es fiel en lo mucho. Dios en el comienzo no le entregará grandes responsabilidades, sino que le ira entrenando con tareas pequeñas, pero en la medida que sea fiel en lo poco, Dios le confiará también lo mucho.

EL PRIVILEGIO DEL LLAMADO

Las personas, en su mayoría tienen grandes sueños; muchos invierten toda su vida por tratar de lograrlos; pero creo que una de las más grandes satisfacciones que podemos experimentar es el ser llamado al ministerio. Es una gran bendición, que entre los miles de millones de personas que existen en este planeta Dios lo haya escogido a usted. No hay privilegio mayor. Dios hoy está buscando hombres y mujeres comprometidos, que le amen con todo su corazón, su mente, su alma y espíritu, que inviertan todas sus fuerzas en la obra, que a través de sus vidas puedan engrandecer y establecer el reino de Dios en esta tierra.

DESARROLLO PROGRESIVO Y CRECIMIENTO PERMANENTE

Todo ministerio tiene la responsabilidad de entrar en el desarrollo progresivo y el crecimiento permanentemente. Sabemos que en este mundo predominan dos fuerzas: la del bien y la del mal. El llamado específico que el Señor nos dio fue establecer su reino en esta tierra, esto es llevar a las personas a que rompan relaciones con el mal y se regresen al bien, que dejen de hacer lo malo y aprendan a hacer lo correcto.

Dios nos está llamando a influenciar nuestra sociedad y presentar una alternativa diferente. La integridad y la vida de santidad es algo que se contagia, limpia los aires, activa los ángeles, hace que el cielo descienda a la tierra y se produzca un cambio en el ambiente espiritual.

TENGA UNA ACTITUD CORRECTA

Para que el ministerio crezca y se desarrolle usted debe tener la actitud correcta. Si el líder piensa que no va a crecer, eso es lo que experimentará. Si se conforma con algo pequeño, eso es lo que obtendrá. Si no entiende la visión, será difícil que la pueda implementar. Si cree que los hombres que se encuentran a su alrededor no se comprometen, no lo harán. En cambio si cree que lo pude lograr, que lo puede alcanzar y vizualiza que será el mejor equipo que llegará a formar, eso es lo que con el tiempo verá.

El líder debe tener una actitud de fe, porque el crecimiento ministerial se desarrolla dentro de uno; cuando la persona lo cree y vence los obstáculos, los temores, las imposibilidades y propone en su corazón conquistar, el triunfo lo logra primero en su interior, luego el resultado será una realidad. Cuando usted tiene esa capacidad de creer, el milagro sucederá.

RAMAS FRUCTÍFERAS EN LAS MANOS DE DIOS

Hay un tiempo determinado en el cual debemos cumplir con las metas propuestas. Comenzando el año 2001, nos reunimos con el equipo de la red y establecimos metas con un tiempo señalado para cumplirlas. Durante todo el año se trabajó por alcanzarlas, pero cuando ya estábamos a punto del cierre, llegué de una gira y encontré a los pastores y líderes con un gran desánimo, sin fe. Me dijeron: "no lograremos cumplir las metas". Yo estaba asombrado de lo que escuchaba, no me cabía en la mente que la gente que se había formado a mi lado, personas a quienes yo les había inyectado fe durante años, estuvieran de brazos caídos diciéndome: No podemos. Entendí que esto no provenía del Espíritu; Satanás había venido a bombardearlos para impedir que las metas se cumplieran. Estuve orando y Dios me mostró y me dijo que Satanás les había hecho creer a los líderes que ellos no podían alcanzar sus metas, y que si ellos llegaban a creer esta mentira diabólica, en realidad no lo lograrían. Mas si ellos con firmeza rechazaban ese espíritu de incredulidad, el temor desaparecería y cumplirían las metas tal como ellos lo habían establecido.

Reuní a los pastores, les hablé y desaté fe sobre ellos. Luego les dije: "No acepto lo que están diciendo, un año trabajando para recoger el fruto, si no hay fruto simplemente fue una higuera estéril y Jesús maldice la higuera estéril; pero la Biblia dice que la senda del justo es como un árbol plantado junto a corrientes de agua, pero de agua viva, que da su fruto a su tiempo y su hoja no cae y todo lo que hace prosperará. Esta congregación es árbol frondoso, es rama fructífera, cada ministerio es rama fructífera y Satanás no podrá robar el fruto".

Reprendimos en oración el espíritu de incredulidad y después algo extraordinario sucedió en los aires; el ambiente cambio, los pastores tuvieron que arrepentirse y después de esto pude ver cómo la fe de ellos aumentó, el espíritu de incredulidad fue quebrantado, revivió la esperanza y el fruto de ese año no se perdió.

REDIMIENDO EL TIEMPO

Nehemías sabía que sólo contaba con cincuenta y dos días para cumplir su meta. Trabajó por ella noche y día; no desmayó, no se debilitó ni un solo instante hasta que la meta fue alcanzada. El pueblo tuvo que tener buen ánimo, la gente se unió y tuvieron que trabajar noche y día junto a Nehemías, el esfuerzo que estaban realizando era tan grande que la gente ni tomaba tiempo para cambiar sus vestiduras, solamente se desvestían para bañarse y luego volvían a la obra. Todos trabajaban por las metas establecidas y nadie se desviaba de la visión. Así tiene que ser con cada ministerio.

Si usted no ha sentido la pasión por alcanzar la meta y ha dejado que todo el peso de la responsabilidad esté sobre una sola persona, es tiempo de arrepentirse, porque eso es pecado y las almas están siendo afectadas. Usted le va a decir al Señor: Yo seré esa rama fructífera y habrá fruto en todo lo que desarrolle.

Es imposible obtener crecimiento en el ministerio sin metas claras; si usted no tiene metas definidas no podrá tener una fe clara. Si obtiene claridad de pensamiento en su corazón, podrá con facilidad alcanzar sus metas. Todo aquel que no tiene metas carece de dirección en su ministerio y experimentará un desgaste físico, emocional, económico y sentirá que todo ha sido tiempo perdido.

EDIFICANDO UNA MURALLA CELULAR

Nehemías tuvo que enfrentar toda clase de obstáculos para poder edificar el muro de Jerusalén, pues la ciudad estaba ya en ruinas, pero la vida de este hombre se convirtió en un ejemplo que motivó al pueblo. Debemos entender la importancia de que el líder siempre tenga una buena actitud y se mantenga altamente motivado, para que al hablar con sus discípulos les pueda impartir fe. Nehemías sabía que su principal desafio era levantar un muro de protección. Nosotros somos llamados a edificar un muro de protección, una muralla celular que debe extenderse a lo largo y ancho de nuestra ciudad y luego alcanzar toda la nación. Esta muralla es poderosa, porque hace que los más violentos se vuelvan al Señor y aun los escépticos se rindan a los pies de Jesús.

Necesitamos que en cada cuadra de nuestra ciudad haya una célula donde se proclame la verdad de Jesucristo; necesitamos fortalecer un muro poderoso en la red de hombres, en la red de mujeres y en la de jóvenes que protejan las familias y guarden la ciudad y la nación.

AGRADANDO A DIOS

Debemos entender que sin fe es imposible agradar a Dios. Es importante que usted comprenda que las metas van muy ligadas a la fe. Le sugiero que escriba sus metas y que conozca también las de cada integrante de su equipo, luego dedique toda su energía y todos sus recursos para alcanzarlas.

No permita que un abismo de distintas circunstancias le impida cumplir la meta establecida, si usted fracasa en sus metas, fracasó en todo lo que se propuso para ese año. No busque tener una aproximación, usted debe cumplirlas y sobrepasarlas. Todo deportista tiene una meta: ganar; él se prepara para la competencia y asiste a ella con el firme y único deseo: ganar.

Pablo dijo en una carrera muchos participan, pero sólo uno recibe el premio. Todos debemos luchar y esforzarnos de tal manera que obtengamos el premio. Muchos están compitiendo hombro a hombro por alcanzar una meta, es como una maratón de 365 días; usted no puede desmayar en el camino, por el contrario, necesita tomar aire fresco y decir: Lo puedo lograr porque todo lo puedo en Cristo, Él siempre me fortalece.

TENIENDO UNA IMAGEN CLARA

Los Hechos capítulo 2 verso 17 narra el momento en que el apóstol Pedro, inspirado por el Espíritu Santo, habla a los judíos en una unción profética y les dice: "Y en los postreros días, dice Dios, Derramaré de mi Espíritu sobre toda carne, y vuestros hijos y vuestras hijas profetizarán; Vuestros jóvenes verán visiones, y vuestros ancianos soñarán sueños".

Pedro estaba profetizando lo que sucederían en nuestro tiempo, cuando la unción de Dios se manifestaría en visiones y sueños; mas esto solo vendrá como resultado de permanecer en quietud en la presencia del Padre. Una visión dada por Dios debe ser tan clara como la imagen que usted ve en la televisión, debe ser tan nítida como una foto que usted toma, sabiendo que si mueve la cámara la foto saldrá borrosa.

Si duda en el momento de proyectar la visión, la imagen que obtendrá será borrosa y Dios deshecha todo aquello que no sea nítido. Usted debe creer con todo el corazón que Dios le da lo que Él le ha prometido. Dios actúa sobre sus necesidades hasta que ha logrado convertirse en un visionario.

Si usted mira el fracaso será un fracasado, pero si mira el éxito será una persona de éxito. Usted tiene que aprender a moverse en la dimensión de la fe; el proverbista dijo en el capítulo 29 verso 18: "Donde no hay visión el pueblo perece". Satanás se opondrá para que usted no reciba visión, para que no obtenga una imagen clara, ni planee metas en su mente porque sin visión el resultado será incierto.

El Espíritu Santo es quien trae la visión a su mente y usted debe contemplarla vez tras vez, día tras día, hasta que en su mente tenga la convicción de que la meta ya ha sido alcanzada, hasta que usted sienta en su interior: lo logré.

El Espíritu Santo es quien nos capacita para cumplir las visiones y los sueños, pero si usted no mira con fe el Espíritu Santo no tendrá nada que darle cuando usted ore.

Crea, visualice, confiese y Dios hará el milagro. Tenga una visión de multitudes, vea claramente que usted es un líder de miles y miles de almas.

Capítulo 11

QUE ENTIENDAN LA IMPORTANCIA DE CONFORMAR EL G12

«...sobre esta roca edificaré mi iglesia...»
Mateo 16:18

ES UN FUNDAMENTO ESTABLECIDO POR DIOS

Dentro del propósito divino, el número doce es un número de gobierno. La iglesia en el tiempo de Jesús se conformaba por piedras vivas, esto es, personas que habían sido transformadas por el poder de Cristo y cuyo carácter tenía firmeza. Por la cual el Señor Jesús cuando estuvo en esta tierra dijo: "Edificaré mi iglesia".

El apóstol Pablo declaró: "edificaos en el fundamento de los apóstoles y profetas, siendo la principal piedra del ángulo Jesucristo mismo" (Efesios 2:20). Para desarrollar la visión que perduraría a través de los siglos, el Señor Jesús escogió doce hombres; en los tres años de su vida ministerial aquí en la tierra los transformó, haciendo de ellos poderosos gigantes de la fe. Estos hombres lograron beber de la fuente directa de la sabiduría; pues cada palabra que salía de los labios de Jesús, quedaba marcada tan profundamente en sus corazones que era imposible olvidar. Cristo es la piedra angular y los doce apóstoles fueron levantados por Jesús como los pilares del templo, para que le ayudaran a soportar el peso de la iglesia.

COMPLETANDO LA PIEZA QUE FALTABA

Desde el primer momento el grupo estuvo incompleto, debido a que uno de los doce no tenía un corazón puro, pero éste al ser reemplazado, se se convirtió en la señal de que la iglesia ya estaba lista para ser edificada.

El primer suceso extraordinario que vivió la iglesia después de que el número de los doce estuviera completo, fue el derramamiento del Espíritu Santo sobre todos los congregados, como resultado la iglesia experimentó un gran crecimiento sin precedentes. Durante el primer discurso de Pedro tres mil personas se convirtieron al cristianismo; a los pocos días dos de los discípulos asistieron al templo, y por la sanidad de un cojo, cinco mil más se agregaron a la iglesia. Pues el Señor añadía cada día a la iglesia aquellos que debían ser salvos; pues la iglesia crecía y el número de los discípulos se multiplicaba en gran manera.

QUE LA VISIÓN QUEDE GRABADA EN NUESTROS CORAZONES

El Señor le dijo al profeta Jeremías, que Él haría algo nuevo con su pueblo: *"Daré mi ley en su mente, y la escribiré en su corazón, y yo seré a ellos por Dios y ellos me serán por pueblo" (Jeremías 31:33).* Esto mismo lo hemos podido apreciar en aquellos que han abrazado la visión. Una vez que ésta es recibida en el espíritu, implementar el método es mucho más fácil. Cuando la visión entra en el corazón, allí es donde se hace clara y la gente podrá leer la visión a través de nuestras vidas. Pablo dijo: *"Siendo manifiesto que sois carta de Cristo expedida por nosotros, escrita no con tinta, sino con el Espíritu del Dios vivo; no en tablas de piedra, sino en tablas de carne del corazón" (2 Corintios 3:3).* Del mismo modo que el espíritu de Dios ha escrito la visión dentro de nuestras vida, debemos permitir que lo mismo suceda con nuestros discípulos.

LA AUTORIDAD NOS FUE ENTREGADA

Antes de ascender al cielo el Señor reunió a sus apóstoles y les confió lo que se conoce como la gran comisión: *"Y Jesús se acercó y les habló diciendo: Toda potestad me es dada en el cielo y en la tierra. Por tanto, id, y haced discípulos a todas las naciones, bautizándolos en el nombre del Padre, y del Hijo, y del Espíritu Santo; enseñándoles que guarden todas las cosas que os he mandado; y he aquí yo estoy con vosotros todos los días, hasta el fin del mundo" (Mateo 28:18-20).* El Señor comienza esta declaración con una palabra de confianza: "Toda potestad me es dada en el cielo y en la tierra". Antes de entregarles la responsabilidad el Señor les hace entender que Él ya hizo la parte más importante, les dejó el camino despejado para constituirse en la máxima autoridad de todo el universo. Y con esta autoridad los envió como embajadores para que vayan en su Nombre; Él mismo nos advirtió que nos enfrentaríamos con adversidades demoníacas, pero nada nos iba a hacer daño: *"He aquí os doy potestad de hollar serpientes y escorpiones, y sobre toda fuerza del enemigo, y nada os dañará" (Lucas 10:19)*. La vida cristiana es una guerra, una guerra abierta contra las fuerzas espirituales de maldad en las regiones celestes, pero avanzamos no dependiendo de nuestras fuerzas, sino en el Nombre de Jesús.

INVOLUCRANDO A TODA LA IGLESIA EN GANAR

Cuando éramos un grupo de treinta personas, mi oración fue: Señor, ¿Cuál es el método eficaz que tú tienes para que la Iglesia se desarrolle? Mientras esperaba una respuesta algo espectacular sucedió: el Señor me guió a llevar a la iglesia en un proceso de oración y de ayuno. Reuní la congregación y nos organizamos para tener oración contínua las 24 horas del día; aunque eran pocos los creyentes en aquel momento, logramos realizarlo. Luego, comenzamos una cadena de ayuno cubriendo cada día de la semana, hasta que el Señor nos diera la victoria y hayamos conquistado la meta.

Enseñe a la iglesia que ellos mismos podían hacer un trabajo evangelístico como ningún otro; pues las personas que necesitábamos ganar estaban en las empresas donde ellos trabajaban, en los sectores donde vivían y en las universidades donde estudiaban. Todos adquirieron el compromiso evangelístico y en poco tiempo comenzamos a ver el resultado. Lo que me llenó de gran gozo fue la manera como todos se apropiaron de este desafío y comenzaron a trabajar. La meta en seis meses era alcanzar doscientas personas y en tres meses ya lo habíamos logrado. Usted debe entrenar a su iglesia para que cada creyente se desarrolle y trabaje en la obra de Dios. El potencial ya está dentro de cada uno de los miembros de su congregación, pero usted tiene que saber transmitirles un claro mensaje de lo que anhela, espera y desea.

ENSEÑÁNDOLES A CONSOLIDAR

Ganar las almas forma parte de la primera etapa, luego viene la próxima ¿Cómo los retenemos? Quizá se pregunte ¿qué es la consolidación? Consolidar equivale al mismo cuidado que una madre debe tener con su bebé recién nacido; es el cuidado del líder con el recién convertido. Desde que la persona nace de nuevo y tiene un encuentro personal con Jesucristo, los primeros meses son fundamentales en su formación. Se ha comprobado científicamente, que los primeros cinco años de la vida del niño son los que determinan la personalidad de éste en el futuro.

La experiencia nos ha enseñado que en el mismo momento que ganamos una vida para el Señor, debe comenzar el proceso de cuidado de esa persona, de la misma manera que una madre lo hace con su bebé recién nacido. De la especial atención que se brinda en estos primeros meses depende la clase de líder que llegará a ser en el futuro. Lamentablemente para muchos su tarea termina cuando la persona levantó la mano y aceptó a Jesús, piensan que con el solo hecho de haberlos llevado a la iglesia, ya cumplieron con el Señor y ahora esa vida es responsabilidad del pastor. Pero la realidad es que ese es el momento cuando nuestro verdadero trabajo recién inicia.

AYUDÁNDOLES EN SU CRECIMIENTO

Debe haber una protección, un cuidado especial hacia el nuevo creyente, para que alcance un desarrollo pleno. Debe nutrirse de la leche espiritual de la Palabra, tiene que recibir y sentir el calor de hogar, tener un grupo de personas que lo hagan sentir bienvenido y que lo ayuden a vencer sus luchas. Si tiene heridas, le ministren para que estas heridas emocionales sean sanadas; si todavía está batallando con la tentación le orienten para que obtenga victoria; si está atravesando luchas en el área financiera le ayuden a entrar en la dimensión de la fe, para que a través de ella conquiste lo que necesita. Toda esta tarea es un proceso, que si lo realizamos correctamente, veremos el fruto en cada una de esas vidas.

PREPARÁNDOLOS PARA EL ENCUENTRO

Una vez que estas vidas estén consolidados deben continuar con el proceso, ciclos por los cuales el nuevo atraviesa mientras recibe el debido cuidado de su líder, para así continuar con éxito las próximas etapas que son: el discipulado, que lo llamamos pre – encuentro y luego participar de un encuentro, que es un retiro de tres días de duración.

Este encuentro es trascendental, porque es allí donde Dios obra de una manera directa en la vida de cada persona; el encuentro equivale a estar a solas con Dios. Recordará cuando el pueblo de Israel estaba en Egipto, el Señor ungió a Moisés y le dijo a faraón deja ir a mi pueblo para que esté tres días adorándome en el desierto. El encuentro es apartar al pueblo durante tres días de su medio ambiente natural, para que tenga una profunda intimidad con Dios. Faraón se endureció y dijo que no podía dejar ir al pueblo, pero que dejaría ir a las mujeres. –"No, tiene que salir todos". –"Bueno, dejaré ir a los hombres". –"No, tienen que salir todos". –"Bueno, dejaré salir a los niños, pero quedarán los bienes aquí". –"No, tienen que salir todos y tiene que salir con sus bienes". La victoria la obtuvo el pueblo de Israel cuando estuvo esos tres días en el desierto, fue allí donde la gloria de Dios se manifestó en ellos.

¿CUÁL ES EL PROPÓSITO DEL ENCUENTRO?

Tenemos cinco pasos fundamentales en el encuentro:

Seguridad de la salvación. ¿A qué me refiero? Muchos llegan a ser cristianos sin pasar por el verdadero arrepentimiento. Posiblemente porque nacieron en un hogar cristiano, o simplemente cambiaron de religión, pero no atravesaron por un proceso de arrepentimiento. Porque el verdadero arrepentimiento es ese dolor interno, profundo, que uno siente por haber ofendido a Dios. Un hombre me decía: "yo tenía dos hijos; de cinco y tres años. Fuimos a una población cerca de la ciudad de Bogotá y mientras me descuidé al entrar en un establecimiento comercial, mis hijos se fueron hacia la avenida. Un vehículo los atropelló y ambos murieron". Me lo contaba con lágrimas en los ojos, aunque esto ya había sucedido tres años atrás. Agregó: "Cómo desearía retroceder el tiempo para haber cuidado mejor a mis hijos". Aunque la situación era muy lamentable, pude entender que algo similar es lo que Dios exige de nosotros. Es desear retroceder el tiempo para no más volverle a fallar. Es decirle: "Señor, dame otra oportunidad, que no la desperdiciaré". Pues si no hay verdadero arrepentimiento, no hay liberación y los mismos demonios seguirán atacando.

Ministrarles sanidad interior. Muchos vienen de hogares destruidos, donde los traumas más fuertes que han vivido fueron en la niñez. Permítale al Señor que use su vida para traer profunda sanidad a esos corazones quebrantados. ¿Qué dijo el Señor? La unción de Dios está sobre mí, porque me ha enviado, no solamente a liberar la gente oprimida, sino a sanar los corazones heridos. La manera más efectiva para ministrar sanidad al alma es a través de la restauración del amor del Padre Dios.

La mayoría de las personas levantan corazas a su alrededor, que son como fortalezas que no permiten que otros sepan el problema que han estado viviendo. Más cuando están a solas con Dios, pueden abrir sus corazones y recibir la ministración de amor que viene de Él.

La bendición del sustituto. Cuando Jesús mira desde la Cruz el corazón de su madre que está sangrando, siente compasión por ella y llama al discípulo amado, que también tenía el corazón quebrantado, porque su líder y maestro partía. Fue allí cuando el Señor le dice: "Juan, he ahí tu madre. Madre, he ahí tu hijo". Los escogió como sustitutos y ambos corazones fueron sanados. Es importante como parte de la sanidad escoger un sustituto que nos ayude en la ministración. Este acto tiene un poder indescriptible. Un hombre me decía: "Pastor, cuando escogí a una persona para que tomara el lugar de mi padre algo tremendo sucedió. Yo nunca le había podido hablar a él porque le tenía mucho miedo. Cuando tomé ese sustituto, sentí verdaderamente que estaba con mi padre, al abrir mi corazón sentí que el temor se iba, y ya no había miedo hacia mi padre. Sentí compasión por él. Pude sacar todo el odio de mi alma".

Ministrarles liberación. Aunque algunos tienen la creencia que al aceptar a Jesús quedan completamente libres de cualquier clase de opresión, para muchos cristianos el mantener un alto grado de santidad es algo que les ha costado en gran manera. Han estado batallando continuamente contra una serie de conflictos internos y no saben cómo liberarse de ellos. Satanás sabe cuál es la debilidad de cada persona, por ello intenta afligirle constantemente para debilitarlo espiritualmente y alejarlo de la fe. Mas cuando hay un arrepentimiento genuino, el demonio se aparta de las vidas y son libres por el poder de Jesucristo. Necesitamos primero vivir y experimentar el arrepentimiento para luego poder enseñar acerca de él. Si usted no lo ha vivido, no lo podrá enseñar. El poder más grande para obtener liberación lo experimenta cada persona cuando comprende el poder de la Cruz.

Ministrarles la llenura del Espíritu Santo. Pablo dijo: "No os embriaguéis con vino, en lo cual hay disolución, antes bien sed llenos del Espíritu" (Efesios 5:18). Existe la tendencia de ver la embriaguez como pecado, pero el no estar llenos del espíritu es igualmente de pecaminoso. Cuando las personas han sido sanadas, liberadas y perdonadas es muy fácil que reciban la llenura del Espíritu.

Enseñarles la visión. Luego de todo lo maravilloso que han recibido del Señor durante el encuentro, cuando llega el momento de compartirles la vision no la ven como una carga, sino que ellos saben que son instrumento de Dios para bendición de otras vidas. Desde el primer momento las personas nuevas tienen que sentir una gran compasión por los perdidos, esto las lleva a testificar de Jesús e influenciar a sus amigos y familiares para Cristo.

LA IMPORTANCIA DEL POS-ENCUENTRO

Cuando Israel salió de Egipto, faraón preparó el ataque porque quería destruirlos. Nosotros no éramos concientes de ello; veíamos como la gente era transformada en los encuentro, pero por no tener un cuidado especial y confrontar la estrategia de contra-ataque de Satanás, perdíamos muchas personas.

Se extraviaba aproximadamente un promedio del setenta por ciento de las personas que asistían, hasta que el Señor iluminó a líderes del equipo y comenzaron a desarrollar el pos–encuentro. Es un breve discipulado, donde enseñamos cómo pueden mantenerse firmes ante las presiones de amigos y familiares; cómo tener dominio sobre sí mismos y cómo perseverar en fe en la vida cristiana. Con un pos-encuentro débil, se puede correr el riesgo de que algunos se desanimen y no regresen. Recuerde a los nuevos debemos mantenerlos altamente motivados y una buena motivación dura muy pocos días.

COMPROMETERLOS CON LA ESCUELA DE LÍDERES.

Observamos que un alto porcentaje de los que cursaban el pos–encuentro, se sentían motivados a obtener una mayor capacitación bíblica. Fue así que comenzamos con la escuela de líderes que es la formación doctrinal de los discípulos. No hemos trabajado una temática teológica profunda, porque entendimos que Dios está usando el liderazgo laico, pues son ellos quienes hoy más se reproducen. Si se hace un análisis de la iglesia primitiva, el desarrollo realizado fue a través de éste liderazgo, y en los grandes despertares espirituales Dios siempre ha usado personas que era líderes laicos.

Nuestra experiencia ha demostrado que si les damos las herramientas básicas, ellos podrán hacer la obra, porque el laico tiene la capacidad de penetrar en lugares donde un pastor o un ministro jamás tendrían la posibilidad de hacerlo. Un laico está en las empresas, en las universidades, en los diferentes vecindarios, en las embajadas. Pueden llegar a todos los sectores y a todos los estratos.

Ser parte de una célula, durante este proceso la persona ya ha sido vinculada a una célula; allí se abren las puertas para que los familiares, amigos y conocidos sean alcanzados por el evangelio. Se les da la oportunidad a las personas nuevas a relacionarse con otros, que tengan contacto directo con el líderazgo y que puedan experimentar un toque fresco de Dios.

Capítulo 12

Enséñeles a Alcanzar el Éxito

"Hermanos, yo mismo no pretendo haberlo ya alcanzado;
pero una cosa hago: olvidando ciertamente lo que queda atrás,
y extendiéndome a lo que está delante".
Filipenses 3:13

Si ya ha logrado conformar el grupo de doce ha entrado a formar parte del ejército de grandes conquistadores, los valientes del Señor, pues emprendió la visión de la manera correcta y nunca más volverá a ser el mismo.

Dios ha preparado grandes milagros que llevará a cabo a través de su vida. El Señor lo está elevando a una posición de dignidad, esto implica pasar de ser soldado raso, a convertirse en comandante con un equipo bajo su cargo, por lo cual es muy importante que se convierta en un experto en la visión. Este es un privilegio, y todo privilegio demanda responsabilidad.

Años atrás al reunirme con varios pastores de mi equipo les pregunté: "En la escala de 1 a 100, ¿Cuál es su real compromiso con la visión?» Una gran mayoría respondió: un 80%. Tuve que explicarles lo que podía implicar el no estar comprometido el ciento por ciento. Cuando el Señor Jesús llegó al huerto de Getsemaní, hasta ese momento su compromiso era de un 80% en lo concerniente a la redención, el otro 20% significaba el sacrificio. En ese momento sus ojos espirituales se abrieron y observó con claridad todo lo que le esperaba en las próximas horas. Él pudo haber pedido la ayuda de más de doce legiones de ángeles, los cuales habrían actuado con prontitud, pero no quiso apelar a ninguno de sus derechos sino que se refugio en la oración y le pidió al Padre, que si fuera posible el establecer la redención de la humanidad sin que Él tuviese que pasar por el sacrificio, lo hiciera. Pero si no había otra alternativa, entonces estaría dispuesto a hacer su voluntad. En esta oración Jesús pudo ratificar su compromiso total.

Estar comprometido significa una entrega plena, sacrificio, obediencia, trabajo y amor. El Señor Jesús sabía desde los comienzos que edificar la iglesia implicaba dar su vida en rescate de muchos. Admiro a nuestro liderazgo que decidió servir de corazón al Señor. Se esforzaron por implementar la visión sin detenerse a pensar el precio que debían pagar, y por esta actitud que tuvieron puedo decir que Dios nos ha dado el mejor equipo del mundo. Ninguno de ellos ha buscado establecer su propio reino, sino que se han esmerado por engrandecer el reino de Dios. Cada uno de ellos actúa con un corazón genuino, sin pretenciones, con transparencia y con gran espíritu de fidelidad.

Estos ingredientes son los que revelan el grado de compromiso que tenemos con la visión. También debemos tener en cuenta los siguientes aspectos:

SENTIDO COMÚN

Nadie ha escrito acerca del sentido común, tampoco están descriptas sus características en un manual. Es algo que las circunstancias y experiencias nos van enseñando. Los grandes descubrimientos que han beneficiado a la humanidad, fueron forjados gracias al sentido común.

Podemos decir que cada uno de los aspectos que se fueron implementando dentro de la visión, simplemente han sido el resultado del sentido común. Cuando nos dimos cuenta de que las personas que se capacitaban en el Instituto Bíblico de la iglesia, luego de dos años la mayoría había desertado, y los que aún quedaban no sabían cómo alcanzar a los perdidos con el mensaje de salvación, por lo cual creímos importante establecer un programa que pudiera darles una capacitación mucho mas rápida y eficaz a cada uno de los creyentes.

Antes debíamos rogarles a los miembros de la Iglesia que se enrolaran en nuestro Instituto Bíblico, pero con el nuevo programa esta situación desapareció, pues la misma visión los llevaba directamente a la capacitación.

Debido al crecimiento tan acelerado que Dios nos ha dado, hemos tenido que rentar en diferentes sectores de la ciudad, edificios, colegios y universidades para poder acomodar al gran número de estudiantes que llegan continuamente.

También le hemos enseñado a nuestros discípulos que aunque tenemos normas, siempre deben usar el sentido común en cada situación, deben primeramente discernir el ambiente espiritual, buscar la inspiración del Espíritu Santo e impartir lo que Él anhele dar.

En las células el enfoque es: la enseñanza y la participación de los asistentes; salvo algunos casos excepcionales se entonan cánticos, por la sencilla razón de que la mayoría de nuestros líderes de células no tienen este talento.

AYUDE A LOS DISCÍPULOS A CONFORMAR SUS DOCE

En el mundo espiritual, ayudar a sus discípulos a conformar sus doce le otorga autoridad, gobierno y madurez. Las doce tribus de Israel, aunque Dios le dio a Abraham la promesa que sería una gran nación, ésta no se cumplió sino hasta cuando se habían conformado las doce tribus de Israel.

Vemos que el Señor comisionó e envió a los doce apóstoles a hacer milagros, mas no se presentó un desarrollo trascendental hasta que Judas, quien era la persona incorrecta, fue remplazada y los doce estuvieron completos. El salmista David dijo: "En tus manos están mis tiempos" (Salmos 31:15). El reloj de Dios también tiene doce números y a través de ellos dirige nuestros destinos.

Es importante enseñarle a aquellos que están a su lado que crezcan en profundidad, no que tengan un equipo que esté conformado por veinte o treinta personas. Lo primordial es que en oración escojan sus doce, y si usted tiene un líder que no está dando fruto, debe orar para que el Espíritu le revele en qué área él está fallando. Posiblemente sea una persona muy pesimista con sus discípulos, muy satírico o incumplidor; quizá al enseñar lo hace sin la guía del Señor y aquellos que lo escuchan sólo desean que termine.

Por lo general en los grupos de doce hay casi siempre tres que son los que más sobresalen y se destacan, pero es nuestro deber ayudarlos a todos en la conformación de sus respectivos equipos y a que ellos puedan consolidar el ministerio también. Sé que conformar el primer grupo de doce es toda una hazaña, pero si con esmero nos dedicamos a enseñarles a los discípulos de una manera clara y sistemática a seguir cuidadosamente el proceso de la visión, los resultados serán positivos y a muy corto plazo.

Mi esposa en esa área se convirtió en toda una experta, pues tomó un grupo de mujeres que no habían tenido ningún tipo de experiencia en el liderazgo, se dedicó a ellas de una manera especial y en solo unos nueve meses los resultados fueron extraordinarios; aunque esto le demandó mucho esfuerzo y tiempo, luego, al ver lo obtenido setía la satisfacción de ver aquellas "líderes milagro" demostrando el fruto de su trabajo.

CONCÉNTRESE EN UN SÓLO OBJETIVO

El apóstol Pablo dijo: "Una sola cosa hago". Uno de los grandes problemas dentro del liderazgo es que hay tantos frentes que cubrir, y al pretender atenderlos a todos, se descuida lo más importantes. Y lo más importante es que el líder que desea conformar su grupo de doce, se concentre específicamente en una célula, al punto que esa célula llegue a ser la mejor de todas y no que tenga cinco células mediocres pues esto les resta todas las energías. Cuando nos dedicamos a que una célula tenga éxito, de ella provienen las personas que llevaremos a los encuentros, y es en las células donde está el mejor semillero para la conformación del grupo de doce.

VIDA EQUILIBRADA

Somos conscientes del tiempo que nos demanda desarrollar la visión. En nuestro caso siempre teníamos los horarios cruzados con nuestras hijas, pues el día que ellas tenían libre, los sábados, coincidían con las actividades del ministerio; y los días que nosotros teníamos libre, los lunes, ellas estaban estudiando. Hasta que nos dimos cuenta que el horario en que ellas permanecían en casa era siempre después de las cuatro de la tarde, así que decidimos estar todos los días con ellas de cuatro a seis de la tarde. De este modo pudimos suplir muchas áreas en la vida de nuestras hijas; la comunicación comenzó a ser contínua, podíamos compartir todo lo que habían vivido durante el día y ayudarlas en lo que necesitaran. Gracias a ello, nuestras hijas nunca vieron que el ministerio estuviese rivalizando con ellas, antes por el contrario, todas se han podido desarrollar dentro del él.

No podemos permitir que el ministerio se vuelva una carga, cuando esto sucede, significa que hay algo que no se está realizando de la manera correcta, y se requiera que en oración, el Señor le revele en que está fallando. Luego que Él le revele la raíz de la situación, tome los correctivos necesarios para que llegue a su vida el fluir del Espíritu Santo y también sobre el liderazgo que está ejerciendo.

GRUPOS HOMOGÉNEOS

Cuando descubrimos que el pastoreo en los hogares, a través del gobieron de los doce, contribuía a expandir el evangelio de Jesucristo de una manera efectiva, vimos que este sería el proceso que llevaría la iglesia a un constante e impactante crecimiento.

Pero para lograr una labor más eficaz, el Señor nos mostró que dicho trabajo podría llevarnos a resultados superiores, a metas óptimas de crecimiento, si se rediseñaba la estrategia, teniendo en cuenta algunos niveles de afinidad entre los miembros de la congregación.

En principio, las células estaban desarrollándose de manera muy general, sin discriminar edades, sexos u actividades habituales de las personas que las integraban, eran células heterogéneas. El líder era como un cazador que tenía que disparar a diferentes blancos a la vez. Debía dar una palabra para los hombres, otra para las mujeres, otra para los jóvenes, otra para los niños, otra para los matrimonios y otra para los nuevos, por tal motivo los resultados era muy pobres.

Organizamos el liderazgo para que se especializara en ganar personas de un mismo sexo y que proyectaran todo el crecimiento de esta forma. Al principio a algunos pastores les tomó tiempo asimilarlo debido a que se habían especializado en predicarle a las mujeres; tener que dejar toda esa responsabilidad en manos de sus esposas, para ellos poder concentrarse en ganar solamente hombres, era algo que implicaba renovación de mente, fe y amor por el nuevo desafío. Hoy en día todos nos agradecen pues debido a esto, sus esposas se han desarrollado ministerialmente, también ellos conquistaron un área que antes creían que era difícil de lograr y han podido comprobar que los grupos homogéneos son los de mayor crecimiento, pues nos facilita el trabajo ya que los temas que se tratan son afines con el grupo

TRABAJE CON METAS

Cuando uno tiene un objetivo las metas son claras. Los resultados no son excelentes cuando usted tiene objetivos borrosos, metas no definidas. El éxito no es fruto del azar, la buena suerte ni por el grado de inteligencia que posea. No, el éxito se obtiene cuando se comprende de manera clara la visión, pues ésta nos lleva a tener un propósito, el propósito nos dirige a tener un objetivo especifico y el objetivo específico lo concretamos con metas a largo y a corto plazo.

Para alcanzar las metas establecidas debemos realizar un plan de acción, el cual implica poner fechas exactas en los logros que deseamos obtener en todas las áreas dentro de la visión.

Tenga metas para encuentros.
Por ejemplo: un mínimo de cien personas por cada uno que realice. Ayúdelos en la organización de encuentros por redes, enséñeles, anímelos, minístrelos, impártales su experiencia hasta que ellos obtengan un grado de madurez tal que puedan por sí mismos dirigir sus propios encuentros, y que tenga la meta de llevar un promedio de setenta personas como mínimo por cada uno de ellos.

Gane almas a través de las células.
Ponga la meta que cada célula gane una persona como mínimo al mes. La proyección de crecimiento en una célula sería ganar tres personas por trimestre, comprometiéndose a cuidar a sus nuevos integrantes, ayudarlos a involucrarse en cada etapa del proceso de desarrollo hasta hasta que lleguen a ser líderes de célula.

Por experiencia sabemos que las células son la estrategia evangelística más poderosa que pueda tener la iglesia, pues es más fácil para los líderes de célula cuidar a aquellos con quienes ha tenido un contacto previo y cercano alcanzándolos en su célula para el Señor. Es importante que las células no sean estáticas, o sea, que no pierdan el espíritu evangelístico que es invitar constantemente a personas para ganarlas para el Señor. Si se logra ganar una persona por semana dentro de la célula, serían cuatro personas alcanzadas por mes, posiblemente podrá llevar tres a encuentro; dos a pos encuentro, y una a escuela de líderes. Aunque esto no es una regla, es lo que podríamos llegar a experimentar en un trabajo evangelístico. Jesús dijo en la parábola del sembrador que de cuatro personas que recibían la palabra, a tres de ellos se les dificultaba perseverar. Uno por la incredulidad al permitele a Satanás que le robe la Palabra; el otro porque desea un cristianismo sin dificultades y ante la primera prueba se aparta y el otro, por dejarse absorver por las preocupaciones y afanes de este mundo no vuelve. De los cuatro tan sólo uno de ellos tenía el corazón abierto y fue el que perseveró en todo el proceso, luego se vieron los resultados en la fructificación.

DILIGENCIA EN LA CONSOLIDACIÓN

Si quisiera usar tan sólo una palabra para definir lo que es la consolidación, sería la palabra: "Diligencia". El rey Salomón dijo: "Pero haber precioso del hombre es la diligencia» (Proverbios 27:12b). También compara a la persona negligente con el necio: "Como el que corta sus pies y recibe su propio daño, es el que manda un recado por medio del necio", (Proverbios 26:6). En otras palabras, el líder de célula no debe confiar la consolidación en manos de una persona negligente porque esto es como herirse las piernas y quedar paralizado. En la responsabilidad que se le ha confiado, si la persona que está a cargo de la consolidación no tiene niveles de exigencia con los informes semanales, sabemos que el fruto se perderá y luego vendrán las disculpas. La consolidación no se le debe confiar a una persona que sea tímida o que no le guste relacionarse con la gente. Quien dirija la consolidaron debe tener una unción pastoral y un fuerte celo por el cuidado de cada persona, éste debe ser eficiente, disciplinado, organizado, exigente, carismático y diligente. Se requiere una persona así para ser un experto consolidando.

INTERCESIÓN

Tenga un calendario de intercesión anual. La intercesión no debe ser algo que se le delegue a un determinado ministerio, pues todos los ministerios deben tener su propio programa de oración, donde no sólo oren por las metas establecidas como ministerio, sino también por los líderes, para que Dios envíe su protección sobre la vida de cada uno de ellos.

Es fundamental que dentro de la intercesión por ministerios se tengan por escrito las metas tanto de las diferentes redes y de la iglesia en general. Al mismo tiempo deben cubrir las vidas de sus líderes principales e inmediatos y las familias de ellos, porque a través de la intercesión se levanta un cerco de protección alrededor de sus vidas.

Dios está buscando una persona que se ponga en la brecha a favor del pueblo, para detener los juicios de Dios y traer un despertar espiritual a nuestra sociedad. La generación de Noé toda se perdió porque el espíritu que predomino en ellos fue un espíritu de mundanalidad, donde la gente se inclinó más a hacer lo malo, lo pecaminoso, que agradar a Dios. Solamente se salvó Noé y su familia por causa del serio compromiso que él tuvo con Dios.

Abraham intercedió arduamente para que Dios detuviera sus juicios contra Sodoma y Gomorra, pero la exigencia divina fue: si hay diez justos no la destruyo, pero lamentablemente en una sociedad de diez mil habitantes ni siquiera había diez justos y por ese motivo el juicio de Dios recayó sobre ellos, borrando del mapa estas dos ciudades.

A través de la fe podemos mover la mano de Dios y Él nos usará para cambiar el curso de la historia, podremos influenciar a nuestra ciudad para que alcance el favor y la misericordia divina, convirtiéndose en un pueblo justo y comprometido con Dios.

PREMIE EL FRUTO

Para un militar el recibir una medalla por algún logro o esfuerzo produce una gran satisfacción en su estima propia, todos sus reconocimientos los tienen guardados en lugares especiales. Del mismo modo sucede con nuestros discípulos; el recibir un reconocimiento por sus logros, produce una reacción muy positiva y les da un fuerte ánimo para seguir avanzando. El Señor Jesús en la parábola de los talentos enseñó a premiar la productividad, al negligente le quitó toda responsabilidad, pero al que tuvo más éxito le confió una responsabilidad mayor.

En otras palabras, si una persona no puede dirigir bien una célula, el Señor no le confiará más; pero aquel que puede con una célula y la hace crecer, el Señor le podrá confiar doce células y si las trabaja correctamente, le podrá confiar ciento cuarenta y cuatro células; si éstas las desarrolla correctamente, el Señor lo podrá llevar a que lidere mil setecientas veintiocho células.

Es importante que entendamos que las grandes cosas, las hacen los pequeños detalles: una palabra de aliento, prestar atención cuando nos hablan, detenernos u dar un caluroso saludo, un reconocimiento en público, aun un diploma puede convertirse en la base que llevará a una persona a que la visión celular sea una gran bendición.

LA COSECHA LO ESPERA

La promesa de Dios es que la gloria postrera será mayor que la primera. Y usted está viviendo el momento más propicio para la multiplicación. Viene un crecimiento sin precedentes a nivel mundial, es la unción que Dios está dando para recoger la cosecha final, pero es importante que usted adquiera un compromiso serio con Dios, pues Él anhela usar su vida.

Al mirar la historia bíblica encontrará que muy poco se habla de los arquitectos, de los ingenieros, de los abogados, pero mucho se habla acerca de los siervos de Dios. Si usted desea ser parte de la historia dejando una huella poderosa en la humanidad, conviértase en un siervo de Dios, que logre cumplir fielmente su propósito, reproduciéndose en otros.

Hay privilegios que este mundo ve como sublimes, mas quiero decirles que cualquier privilegio por inmenso que sea para este mundo no se compara con el ser un siervo de Dios. Salomón dijo: *"… y el que gana almas es sabio" (Probervios 11:30b)*. Servir a Dios es trabajar para la eternidad, es rescatar vidas de las garras del adversario y trasladarlas al reino de Dios. Use todas sus fuerzas, todo su conocimiento, toda su sabiduría en rescatar almas y formar discípulos y para lograrlo, su prédica tiene que ser agresiva, tiene que ser consistente, tiene que ser dinámica y con una alta dosis de fe.